KB075696

느리고 부족하더라도 계속 유별나게 사랑하자

유별난 사랑

유별난 사랑

ⓒ 최시호, 2024

발   행   2024년 05월 20일

지은이   최시호

펴낸이   한건희

펴낸곳   주식회사 부크크
출판사등록   2014.07.15(제2014-16호)
주소   서울 금천구 가산디지털1로 119, A동 305호
전화   1670 - 8316
이메일   info@bookk.co.kr

편집디자인   서민경
이메일   niente1991@gmail.com

ISBN   979-11-410-8495-0

https://brunch.co.kr
www.bookk.co.kr

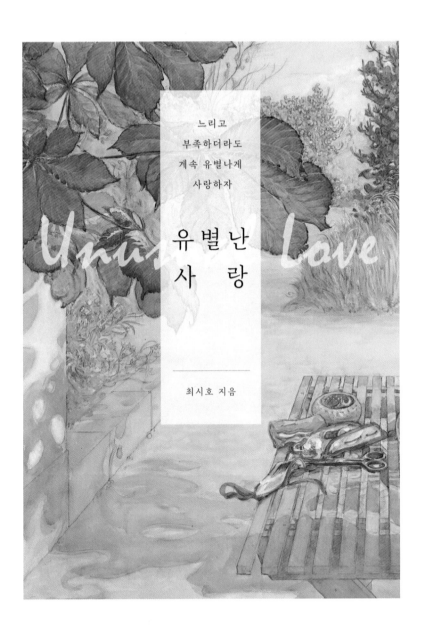

느리고
부족하더라도
계속 유별나게
사랑하자

유별난
사 랑

최시호 지음

Content

01. 솔직함 _8

02. 미워하는 마음 _10

03. 진짜 마음을 숨기던 날들 _11

04. 자동차 _13

05. 고백 _14

06. 여름을 기다리며 _15

07. 나의 기쁜 존재 _16

08. 정직한 위로 _17

09. 나만의 마음 _18

10. 성장하는 마음은 무엇일까 _19

11. 계속되는 사랑으로 _21

12. 소유하고 싶은 감정 _23

13. 예민함에는 느긋함으로 _25

14. 상처는 빛이 되어 _26

15. 달팽이 _29

16. 할머니와 호호호 _31

17. 진정한 심지 _33

18. 겉만 번지르르한 사람이 되면 어떡하지 _35

19. 해바라기 _37

20. 지레짐작 _38

21. 기도 _40

22. 말 _41

23. 청소 _43

24. 사랑할 수 있을까 _46

25. 집 _48

26.   아빠의 눈 _51

27.   인생을 함께 짊어진다는 것은 _53

28.   낭만에 대하여 _55

29.   남의 잘남에 기뻐하는 삶 _58

30.   첫눈에 알아본다는 말이 있다 _61

31.   꿈 _64

32.   나를 바라보기 _65

33.   질문을 부끄러워하지 않는 품성 _66

34.   곳곳에 비추는 _68

35.   달리기 _69

36.   마주 보며 맑게 웃을 수 있는 믿음 _71

37.   배어 나오는 대로 _73

38.   사랑의 깊음은 어디에서 올까 _75

39.   어린이, 사랑 _77

40.   나에게만 시선을 집중해야 하는 때가 있다 _82

41.   듣고 싶은 말을 부탁한다는 것은 _85

42.   엮일만한 부족함 _87

43.   12월 _90

44.   미움 따위 _91

45.   사람의 마음 _93

46.   사랑은 귀해서 쉽게 들통난다 _96

47.   천진난만함 _98

48.   닿고 싶은 마음 _100

49.   진심, 사랑 _102

50.   여유로운 글, 쉽고 정다운 글 _104

추천사   이성희 (총신대학교 호크마교양교육원 교수) _105

유별나게 사랑하는

유별난 우리들에게

01. 솔직함

솔직한 사람이 되고 싶다. 누군가에게도, 나도 상처입지 않을 수 있는 솔직함을 갖고 싶다. 아닌 것을 아니라고, 좋은 건 마냥 좋다고 말하면서 그렇게 계속 이야기할 수 있는 관계를 바라왔다. 의견이 다르더라도 "아, 그럴 수 있겠다"라며 다시 생각해 보고, 서로가 상대방에게 영향을 받으면서 생각의 폭을 넓혀가는 관계.

예전에는 "이건 좀 아닌데.."싶은 걸 말했다가 나를 미워할까 봐 삼켰던 말이 참 많았다. "상대방이 상처받으면 어떡해"라며 상대방을 위하는 척 사실은 두려움에 매번 숨어버렸던 것이다. 모든 것을 수용할 것처럼 고개를 끄덕이는 나를 좋아하는 너에게 "아니다"라고 말했을 때 상처받고 실망하는 모습을 보기 싫었다. 하지만 이제는 알지. 그것이 진짜 사랑이 아니라는걸. 그건, 너를 위한 것도, 나를 위한 것도 아니라 그저 평화로움을 위해 고통스러운 상황을 피하는 것뿐이야.

지혜로움이 필요하다. 의견과 가치에는 틀림이 있더라도 네 존재에는 틀림이 없음을 아는 것, 그리고 다름이 틀림이 되지 않는다는 것. 무작정 비판하기보다 어떤 마음과 생각이 동기가 되어서 그런 말을 했는지 충분히 물어본 다음 이야기를 시작하는 것.

불편함을 느끼는 순간 지금 하고 싶은 말이 내 목에 있는지, 내 마음에 있는지 알아챘다면 우리는 충분히 서로에게 솔직해질 수 있다. 돌아보면, 하고 싶은 말이 목에 있을 때는 항상 나를 위한 것이었고, 마음에 있을 때는 우리를 위한 것이었다.

02. 미워하는 마음

　너를 제대로 보기가 어려워. 너를 이루는 성격들은 자꾸 누군가를 찌르거든. 너의 미운 그 모습을 참고, 또 참다가 "아, 쟤는 원래 저런 애니까"라며 마무리하곤 해. 내 마음은 작은 웅덩이와 같아서 누군가가 발을 조금 담그기만 해도 넘쳐버려. 이런 내가 과연 누굴 담을 수 있을까, 누구를 안을 수 있을까 고민을 하게 돼. 내 작은 웅덩이로 너를 담으려다가 자꾸만 넘쳐서 좌절을 반복할 때 저기 앞의 깊은 샘을 발견했어. 너와 나를 온전히 담을 수 있는 샘 말이야. 그곳에서 우리는 온전함을 알고, 마르지 않을 사랑을 맛보게 될 거야.

　너와 함께 그곳에서 우리를 이루는 세상과 그 세상에서 일어나는 나쁜 일들, 사람들을 바라보고 싶어. 완전히 다 해결할 수 없는 일과 관계들이지만 지치지 않을 마음 하나라면 계속 바라볼 수 있는 용기를 잃지는 않을 거야.

03. 진짜 마음을 숨기던 날들

　신중함이라는 말에 숨어 결단하기를 피했다. 당신과 친밀해졌다가 당신에게 마음을 너무 주어서 서운함을 많이 느낄까 봐, 당신이 나에게 실망해서 떠난다면 너무 슬플까 봐 지레 겁을 먹는 바람에 나는 용기를 내기가 참 버거웠다.

　마음을 여는 것이 어렵다. 조금씩 마음을 열기 시작할 때쯤 누군가는 지쳐 도망갔고, 누군가는 마음을 다 보여줄 때까지 옆에 앉아 기다려주었다. 기다려준 그 사람과는 거짓이 아닌 말로, 과장하지 않은 정직한 말로 대화를 나눈다. 서로의 마음이 맞닿아 공기가 편안하게 깊숙이 채워진다. 조금씩 내던 용기가 두려움과 경계의 벽을 조금씩 허물었고, 조금씩 허문 벽의 틈에는 그 사람의 다정한 눈과 손길이 있었다. 그 다정함에 눈을 맞췄을 때 단단한 벽이 단번에 없어졌다. 그리곤 따스한 손길에 마음을 내어주었다. 숨김이 없는 마음을.

사랑을 주기만 하다 상처받고, 지쳤던 나에게 당신은 사랑받는 방법을, 사랑받는 것이 얼마나 행복한 일인지를 알려주었다. 가끔 사랑받는 것이 익숙해져서 고마움을 잃으면 어떡하나, 사랑 주는 법을 까먹으면 어떡하나 싶다. 그러니까 나는 매일에 주어지는 사랑에 잔뜩 고마움을 느껴야지, 모든 순간에 눈을 맞추어 잃지 말아야지 하고 다짐한다.

04.　자동차

창밖에 달려가는 차들을 보면 괜히 안심되고 편안해진다.

그래도 이렇게 사라지지 않고 여기에 존재하고 있어 다행이라는 생각이 들어서일까. 저렇게 쌩쌩 달리지 않고 머물러 바라보고만 있어도 내 시간은 멈춰있지 않고 나만의 속도로 나아가고 있었다.

마음을 다잡는다. 같은 길을 걷고 있는 이들을 좇아가기보다는

멈추고 싶을 때는 멈추고, 달리고 싶을 때는 달리고, 달리다 지치면 잠시 앉아 다시 걸을 준비가 될 때까지 나를 기다려주겠다고.

05. 고백

옳다고 믿고, 믿게 된 말들을 내 안에서 내뱉을 수 있는 용기가 있었으면 좋겠다.

하나님이 아니면, 나를 설명할 수 없음을 잘 알고 있는데도 혹여나 미움받을까 내가 받은 소중한 사랑을 마음 한구석에 슬며시 숨긴다. 그분 때문에 하루를 살아낼 수 있다고, 하나님은 내 진짜 소망이고 내 평안이고, 내가 여기에 자리하는 이유라고. 그분을 사랑하는 것이 얼마나 기쁜지 이야기하고 싶다.

예수님을 알게 되면 삶 곳곳이 생명력을 갖고 자라나고 있음을 느낄 수 있다. 그래서 당신이 순간마다 하나님을 발견하는 삶을 살았으면 좋겠다고 생각한다. 끝없는 사랑이 마음 구석구석 빈틈없이 채워진다는 느낌을 당신도 느꼈으면 좋겠다. 꼭 같이 그 사랑을 받았다는 것이 얼마나 기쁜지 이야기하자.

06. 여름을 기다리며

후텁지근한 오늘, 반팔과 반바지를 꺼내 입고 방 창문을 열었다. 선선한 바람에 살랑이는 커튼을 보고 있으니 마음에 바람이 스치듯 시원하고 가벼운 감촉이 남았다. 자유로워지는 느낌.

어릴 적부터 부쩍 더위를 많이 타던 나는 여름이 싫었다. 그리고 좋았다. 뜨거운 낮을 견디면 찾아오는 신선한 바람이 부는 저녁을 사랑했다.

여름은 나에게 찡그림은 언젠가 옅어지기 마련이라는 사실을 가르쳤다. 선선한 바람을 자유롭게 탈 때의 행복을 선물했다. 입하가 얼마 남지 않았기 때문일까, 여름을 사랑하는 나는 설레발을 친다.

07. 나의 기쁜 존재

    누구에게도 보일 수 없는 눈물을 그 분 앞에서 뚝뚝 흘린다. 누구에게도 이야기 할 수 없는 마음의 이야기를 그대로 내보인다. 그래도 그 분은 내가 한 걸음 나아갈 때마다, 한 마디 아뢸 때마다 나를 기뻐하신다. 미움도, 아픔도, 죄악된 마음도 모두 내려놓고, "아버지, 저는 약합니다. 그러니 도와주세요"라고 말할 때 그의 말씀이 더 또렷이 들린다. 나는 의심 없이 기댈 수 있고, 사랑 받는 것에 불안해 하지 않을 수 있는 마음을 배웠다. 나에게는 피할 수 있는 무너지지 않을 요새가 있다. 오늘도 그곳에서 아버지와 이야기를 나눠야지.

08. 정직한 위로

누군가가 자신의 고민을 이야기했을 때, 적절한 말로 말한 사람의 마음을 "잘" 위로하는 사람. 그런 사람은 나의 동경의 대상이 되곤 했다. 나는 내 한 마디가 혹여나 상처가 될까, 자신이 이해받지 못하고 있다고 느낄까. 조심조심 생각하고, 내뱉게 된다.

이 마음은 온전히 상대만을 위한 것은 아니었다. 누군가의 슬픔을 위로하는 순간에도 미움받고 싶지 않은 마음이 드러나는 것이다. 내 실수로 인해 나를 좋은 사람으로 생각하는 사람들을 실망시키고 싶지 않았다.

나는 이야기를 듣는 순간과 위로를 전하는 순간에는 이 마음보다 상대의 마음에 집중하는 내가 되었으면 한다. 전하는 말이 진심이었다면 그리고 신중했다면, 혹여나 내 의도와는 다르게 상처를 받거나 이해받지 못한다고 느끼더라도 그것은 모두 내 책임이라고 할 수 없다는 것을 알기로 했다. 나는 내가 할 수 있는 만큼의 최선의 정직과 진심을 보여주면 되는 것이다.

09. 나만의 마음

사람은 자신을 닮은 것을 내보낸다. 음악에도, 글에도, 말에도, 그림에도 면밀히 살펴보면 그 주인을 닮아있기 마련이다. 나는 나의 말이, 글이, 그림이 나를 가장 많이 닮았으면 좋겠다. 누군가에게 영향을 받더라도 온전히 나만의 것으로 만들어갈 수 있었으면 좋겠다.

정직함에 대해 생각한다. 조금 모자라고 어딘가 이상한 구석이 있더라도 과장하지 말자. 내가 정말 전하고 싶은 이야기와 느낌을 전한다면 누군가의 마음에 온전히 가닿을 것이라 믿는다. 그렇게 말하는 대로, 글쓰는 대로 살아있기를.

10. 성장하는 마음은 무엇일까

    나이 듦은 개개인에게 다르게 적용된다. 어떤 이에게는 자부심으로, 어떤 이에게는 신중함으로, 어떤 이에게는 자유로운 마음으로 그 역할을 한다.

    자부심으로 적용되는 사람을 생각한다. 그들은 나에게 당황스러움과 상처를 안겼다. 자신보다 나이가 어리기 때문에 "인격적으로 존중하지 않아도 된다"라는 안일한 생각. 윗사람으로 생각하는 사람에겐 하지 못할 말들을 나에게 퍼붓는다. 이런 일을 겪을수록 나는 더 깊숙이 다짐한다.

    나이는 미성숙의 지표가 아니다. 누군가를 대할 때 나이를 포함하여 사람을 계량하는 단위로 판단하지 않기를. 아무리 친밀한 사이더라도 언제나 그 사람의 마음을 고려하는 우직한 따뜻함을 지키기를.

그러나 절대로 나이를 자부심으로 적용하는 사람을 한심하게 여기지 말자고 다짐한다. 나 또한 누군가에게 어리석은 마음을 가진 적은 없었는지 내 들보를 보아야 한다. 많은 사람에게 무시를 받았던 예수님은 당신의 마음을 어떻게 지키셨을까. 무시하는 마음들 가운데 하나님의 사랑을 보셨겠지.

매 순간 죄를 짓는 존재임을 상기하여 누군가를 한심하게 여기지 않는 겸손한 마음을 소유하자. 하나님이 부어주시는 인격적이고 사려 깊은 사랑을 본다면 누구도 무시하지 않으면서도 사람으로 인해 무너지지 않는 강인함을 갖게 될 것이다.

11. 계속되는 사랑으로

사람들과 어느 정도까지 가까워져도 되는지 모르겠다. 가까워지고 싶어 허물을 드러냈을 때 멀어지는 사람들. 필요한 순간에 끈끈한 친밀함을 생성하다가도 그 시기가 지나면 소원해지는 관계들. 가까워질 기회조차 주지 않는 사람들. 이러한 사람과 관계를 경험할수록 사람에 대한 불신이 자라났다.

"내가 마음을 준 사람들은 다 나를 떠나가" 사람이란 존재는 가까워져봤자 떠나가는 존재라고 생각했다. 사람들은 나만큼 관계에 마음을 다하지 않는다고, 가벼움 투성이라고 그들을 탓했다. 하지만 나 또한 누군가에게 가까워지기 어려운 사람, 곁을 잘 내어주지 않는 사람일지도 모른다는 생각을 한다. 마음이 있어도 개인적인 이유로, 마음의 여유가, 에너지가 없다는 자잘한 이유로 멀어진 사람들을 생각한다.

마음을 준 사람들이 떠나가는 것은 자연스러운 일이다. 우리는 언젠가 서로에게 상처받고 떠나게 될 것이다. 상처받는 일이 없더라도 자신을 둘러싼 상황에 인간관계는 새로운 공사를 준비할 것이다.

영원한 관계를 포기하는 것은 아니지만 인간의 완전함을 기대하는 것은 부질없는 짓임을 이제는 안다. 그러나 내가 완전하지 않고 나밖에 모르는 이기적인 사람일지라도 하나님의 완전함과 영원에 기대에 당신에게 마음을 주는 것을 포기하지 않겠노라고 다짐한다. 영원의 과정 안에서 또 누군가를 실망하게 할 수도, 상처받게 할 수도 있겠지만 우리가 끝에는 하나가 될 것이라는 확실한 미래를 신뢰한다. 각자의 사정을 수용하며 응원과 지지의 사랑을 보낸다.

12. 소유하고 싶은 감정

　소중하고 행복해서 잊고 싶지 않은 순간과 감정이 있다. 나의 것으로, 소유해서 언제든지 꺼내보고 싶은 감정. 사랑하는 사람의 얼굴을 빤히 쳐다보다 뭉클해서 코 끝이 시큰해지는 순간. 사랑하는 사람의 눈빛에서 깊은 "아낌"이 느껴진 순간. 우리가 같은 감정을 느끼고 있다는 것을 깨달은 순간. 계절의 변화를 잘 느끼지 못하던 내가 냄새로 계절의 변화를 알아차릴 수 있게 되었을 때의 감격. 누구도 나의 감정을 이해하지 못했지만 책 한 권이 나를 이해해 주었을 때의 위로. 삶이 너무 반복되고, 무의미하게 느껴질 때 들리는 놀이터의 어린이들의 웃음소리를 들으면 마음에 생기가 도는 것만 같다.

　또, 길을 걷다가 부모님에게 아이가 달려가 안겨 사랑을 듬뿍 받는 장면을 보거나, 연인이 사랑스러운 눈으로 서로를 바라보다 함빡 안는 장면을 보거나, 할아버지와 손자가 공원에서 산책을 하다 손자에게 무엇을 자세히 설명해 주는 장면을 보았을 때.

마음이 충만해진다.

삶이 무너지는 것만 같을 때 꺼내는 감정. 기억.

스무 살 때 감정의 파도에 휩쓸리는 시기를 맞은 나에게, 가족들과 친구들에게 상처만 남기던 나에게, 엄마는 나를 안아주며 이렇게 말했다. "그렇기 때문에 너를 사랑한단다" 나는 생각했다. "그렇기 때문에 살아야겠다."

나에게 닿았던 애틋한 순간, 감정과 기억은 나를 살아가게끔 한다.

13. 예민함에는 느긋함으로

예민함은 누구에게나 있다. 어떤 사람에게는 예민함이 성격의 특징일 수 있고, 어떤 사람에게는 피곤할 때, 여유가 없을 때 튀어나오는 반응일 수 있다. 예민함을 부드럽게 만드는 방법은 '느긋함'이다. 당신이 예민하게 반응해도 나는 괜찮다는 느긋함. 조금 천천히 해도 늦지 않는다는 눈빛을 보인다. 그렇게 마음을 강팍하게 쓰지 않아도 괜찮다는 눈빛으로 바라본다면 상대방의 마음은 조금씩 누그러진다.

나는 모두가 긴장을 풀고 느긋하게 하루를 살았으면 좋겠다. 자신의 삶을 다 통제할 수 없음을 알고, 나의 인생을 모두 책임지시고 인도하시는 하나님을 신뢰했으면 좋겠다. 그럼 무슨 일이 있든지, 어떤 상황에 놓였든지 그 순간에 하나님을 바라보며 또 기뻐할 수 있지 않을까.

14. 상처는 빛이 되어

얼마 전 점심을 먹으러 간 식당에 중학생 무리가 함께 밥을 먹고 있었다. 그중에 한 아이가 친구들에게 물을 떠다 주고 있었다. 처음엔 누구나 식당에서는 물을 떠다 주거나, 반찬을 갖다주거나, 수저를 놓는 행위를 하기 때문에 그저 기특하네, 하고 말았다. 그러나 왠지 자꾸만 귀와 눈이 아이들이 모여 있는 쪽으로 집중하게 되어 그들을 관찰하게 되었다. 물을 떠다 주던 아이에게 물을 떠다 주는 그 행위는 많은 의미가 담겨 있었다. "나도 너희와 친구가 되고 싶어", "나도 너희와 같은 위치에서 놀고 싶어", "너희가 나를 좋아했으면 좋겠어." 그 아이는 친구들의 시중을 드는 행위로 그들의 무리에 속하고 싶어 했다.

친구 무리에 속하기 위해 노력했던 학생 때의 내가 생각났다. 학교의 한 반이라는 체제는 작은 사회여서 그 안에서 한 무리에 속하지 않으면 살아남을 수 없는 구조였다. 급식도 같은 무리와 먹어야 한다는 것이 암

묵적인 약속이었으니까. 노력해서 무리에 속하더라도 완전히 평안한 일상이 유지되는 것은 아니었다. 무리 안에서 모두의 호감을 사지 않으면 무리에서 떨어져 혼자가 되기 십상이었다. 그래서 우리는 모두 서로의 말과 행동에 예민하게 반응하며 피곤하게 관계 맺었다. 어른들은 그렇게 말하겠지 "학생 때 관계는 나중에 다 부질없어져". "시간이 해결해준단다". 하지만 아이들에게는 현실의 삶이다. 생명과도 연결될 수 있는.

나는 이렇게 말해주고 싶다. 그리고 말해주기 전에 친구가 되어 주고 싶다.

"있잖아, 네 마음을 아프게 하는 사람과 굳이 관계 맺으려 하지 않았으면 해. 그런 사람하고 친해져봤자 매일 불안할 거야. 물론 학교에서 혼자 있거나 하는 건 정말 쉽지 않지, 나도 잘 알아. 하지만 혼자더라도 너만의 따뜻하고 순수한 마음을 지키고 있다면 너와 비슷한 마음을 가진 사람들을 만날 수 있을 거야. 너의 마음을 희생시키지 마."

그 아이를 보며 어린 시절의 나를 본다. 그리고 그 시절의 나에게도 말한다.

마음의 상처라는 것은 완전히 없어지는 것이 아니라, 상처의 흉터 통해 누군가의 상처를 볼 수 있게 되는 것이 아닐까. 그래서 큰 고통을 겪은 사람들이 누군가를 치유하고자 발 벗고 나서는지도 모르겠다.

예수님을 본다. 진정한 위로자이신 예수님을 본다. 겪을 수 있는 고난을 모두 당하신 예수님 덕분에 나는 숨을 쉴 수 있었다. 나의 고통이 너무 크게만 보여서 아무도 나를 이해해주지 못할 거라 생각할 때 예수님은 상처 난 손으로 나를 안아주셨다. 그리고 모든 적의가 사라질 그 날을 소망할 수 있게 하셨다. 그래서 난 이제 고난이 오더라도 완전하신 그분의 보살핌을 받고 있다는 사실을 알기에 끝까지 절망하지 않는다. 나는 모두가 예수님을 알기를 원한다. 복음이 얼마나 아름다운지 알기를 원한다. 세상에 가득한 적의와 악 가운데서 흔들리며 살아가는 모두가 견고한 반석을 경험하기를 원한다.

15. 달팽이

애정을 가지고 지켜보는 일을 사랑한다. 사람과의 온정을 나누는 작은 대화, 마음을 담은 일기장과 볼펜, 나를 닮은 방. 마음이 풍족하고 여유로울 땐 그 모든 것들을 사랑하고 나를 사랑하기 아주 쉬웠다. 그러나 지금 나에게 나는 현실이 있다고, 과거의 나에게 붙잡혀 왜 다시 그때로 돌아가지 못하느냐고 채찍질을 한다.

사람들은 나에게 말한다. 아주 잘하고 있다고. 꾸준히 노력하고 있지 않냐고. 하지만 나에게 보이는 것은 결과물이다. 매일 꿈을 그리던 나는 어디에 있을까. 꿈을 이뤄보겠다는 포부는 온데간데없고 현실적인 문제에 맞닥뜨려 꿈을 이룰 수 있는 지경까지 자라보겠다고 말한다. 우선 이것부터, 미래를 위해 준비해야 하는 것은 맞지만 너머의 것을 미루다 보니 내 앞에 있는 것만 바라보다 챙기지 못한 것들이 넘친다.

나의 욕구는 넘실대기만 하고 흐르지는 않는다. 흐르지 않도록 현재를 유지해야만 감당할 수 있다고 생각하는 걸까. 한 달은 너무 빠르게 흐르고 일 년은 사라진다. 조급해하지 말자고 다짐하지만 재능있는 사람들이 많아서 나의 글을 내가 사랑해주기엔 나의 글은 너무나 초라하다. 존경하는 작가님이 말씀해주셨지, 자신의 글은 자신이 사랑해주어야 한다고. 그 누구보다 애정을 품고 있어야 한다고. 나는 어느 정도의 애정을 품고 있는가. 나는 나를 부끄러워 하는 걸까. 그럼에도 쓰는 일을 그만두고 싶지 않다. 쓰는 일은 나의 삶을 사랑한다는 뜻이고, 결국엔 나를 사랑한다는 뜻이니까.

　나보다 먼저 결과물을 낸 사람들과 눈에 보이게 성취한 사람들을 보기보다 나는 나의 마음을 더 넓혀서 누군가에게 깊이 닿을 글을 쓰도록 노력해야겠다. 느릴지라도 한 걸음이 짙은 자국을 남길 수 있도록.

16.   할머니와 호호호

요즘 지하철이나 버스를 탈 때마다 노년의 여성들이 눈에 보인다. 계단을 내려가기 어려워 한 발 한 발 천천히 내리는 그녀들에게 대중교통이라는 공간은 너무나 빠르게 지나가는 공간이었다. 오늘은 버스에서 "아구구" 소리를 내며 떨어져 있는 핸드폰을 느린 동작으로 주우시던 할머님을 보았다. 핸드폰 하나라도 떨어뜨리면 작은 고통을 감내해야 하는 그녀에게 이 세상이 얼마나 빠르게 느껴질지 감도 오지 않았다. 자신의 하루가 끝나고 지친 표정으로 목적지를 향해 걸어가는 사람들이 가득한 공간에서 사람들은 누군가를 돌아보기엔 여유가 없다. 빠르게 걸어가는 무리 속에서 우왕좌왕하는 어르신들을 기다리기엔 삶이 너무 팍팍하다.

나도 한때는 그녀들과 같이 삶에서 느리게 걸었을 때가 있었다. 시선이 내 안에만 머물지 않았던 시절, 어르신들과 아이들이 신호등을 아직 못 건너진 않았을까 걱정어린 시선으로 그들을 바라보았다. 오르막길에서 무거운 짐을 들고 가는 사람에겐 도와줄 건 없을까 눈을 떼지 못했다. 하지만 지금은 내 사정을 먼저 생각하느라 그들을 기다리고 싶지 않았던 순간이 얼마나 많았나. 기다릴 뿐만 아니라 그들과 걸음을 같이 했던 예전의 여유로운 마음은 어디에서부터 나올 수 있었을까. 이제는 팍팍한 현실을 뚫을 만큼의 힘을 구해야 한다.

지팡이를 짚고 느리게 걷는 그녀들은 어떤 가정에서 자라, 어떤 가정을 이끌었을까. 말없이 바깥을 바라보는 그녀들이 같은 나이대의 여성을 만났을 때 처음 보건 말건 살갑게 말을 건네며 이야기꽃을 피우는 이유를 이제는 조금이나마 알 것 같다. 나는 할머니들에게 친구가 많았으면 좋겠다. 그래서 자신의 느림을 이해해주고 일상의 작은 기쁨을 서로 공감해주는 사람들과 사랑하셨으면 좋겠다. 우선 나부터 할머니들과 우정을 쌓으면 참 좋을 텐데, 용기가 없다는 핑계로, 내성적이라는 변명으로 계속 미루고만 있다. 나는 상상한다. 이웃집 할머니 집에서 귤을 까먹으며 이런저런 이야기를 하는 상상. 그동안 살아오셨던 이야기를 들으며 호호호 웃기도 하고, 울기도 하면 참 좋을 텐데.

17. 진정한 심지

나는 기분으로 산다.

감정이 나를 들었다 놨다.

기분이 좋으면 날아갈 듯 다 포용하고 사랑한다.

　침체된 날엔 사람도, 소중했던 관계도 거부하고 싶어진다. 심지가 어느 정도는 굳어졌다고 생각했는데 아닌 것만 같다. 노래 하나에 다른 사람이 되고 영화 한 번 보는 것에 다른 사람이 된다. 나는 진짜 나인지 아직도 모르겠다. 매일 달라지는 내가, 매일 다른 마음을 가지는 나를 믿을 수가 없다.

그럼에도 삶을 놓지 않고 살아간다는 것이 기이하다. 그렇다. 내가 심지가 아니라 예수님이 심지였다. 내가 살아가려 발버둥 치던 것이 아니라, 매일 변화무쌍한 나를 끌고 가시는 분이 있었다. 처참히 스러져갈 나를 자신의 모든 것을 바쳐 받아낸다.

그 사랑 안에서 숨을 쉰다. 혼자서는 도저히 쉴 수 없는 숨을 쉰다. 오늘도, 어떤 감정으로 살아갈지 모르겠지만 스러질지라도 그 품 안에서 부서져야지. 다시 나를 빚을 그 토기장이를 믿으면서.

18.   겉만 번지르르한 사람이 되면 어떡하지

나를 이루는 것들은 정말 나의 것일까. 알맹이 없이 다 소화되지 않고 가져온 것들이 내 안에 뭉쳐 있는 것 같은 느낌이 들었다. 순간 나 자신이 낯설었다. 그리고 두려웠다. 나를 이루고 있는 것들은 뛰어난 무언가로부터 나왔지만, 진짜 나는 별거 아닌 존재라는 것이 뼈저리게 느껴져서.

존재는 무엇으로 채울 수 있을까. 완전히 자신의 것으로, 나의 존재됨으로 변화하려면 어떻게 해야 할까. 평생 알 수 없을지도 모르겠다는 생각을 한다. 나를 만든 존재만 알겠지.

그저 살아있는 것으로 되었다, 하기에 나의 마음은 역동적이고 가끔은 거룩하다. 가치 없는 나에게 가치가 되어주신 분에 대한 이야기가 이젠 현실로 다가온다. 혼자선 아무것도 생각할 수 없고, 해결할 수 없는 미약한 존재인 나를 위해 죽은 신, 자신의 자녀라고까지 부르는 그 인격적이고 완전한 분 때문에 산다. 주어진 것들을 망각하고 당연한 것으로 느낄 만큼 충만히 부어지는 사랑 덕분에 겉만 번지르르한 사람이 되면 어떡하나 싶다가도 그럴 수밖에 없는 존재의 한계를 직시하고 그분을 신뢰한다.

19. 해바라기

두려움이 있었다. 사람과 상황이 모두 어그러져서 다시는 용기를 낼 수 없을 거라고 생각했다. 과거의 상황과 맞닥뜨렸을 때 회피하는 태도 때문에 내 안에 있던 두려움은 점점 더 크게 자라났다. 그래서 나는 자라나는 두려움을 막기 위해 깊은 땅속에서 그저 웅크려 침체된 상태에 안주하곤 했다. 하지만 어둠 속에서 온전히 혼자라고 생각했던 모든 순간에 예수님이 계셨다. 굳어버린 나의 씨앗 위에 햇빛을 비추시고, 비를 내려주시고, 바람을 불어넣어 주시고 계셨다. 계절이 바뀌고, 때가 가까워 올수록 굳어있던 씨앗은 조금씩 뛰기 시작하며 맥박을 갖추어 갔다.

아직도 두려움과 온전히 마주하기 위해 어둠 속에서 준비하고 있지만, 점차 밝은 빛에 가까워감에 감사함을 느낀다. 온전히 내 마음을 마주했을 때 두려움이 자라나 새싹까지 피울지언정 더 잘 보듬어 용기를 꽃피워야지. 그리고 꽃 피울 그날에 나도 누군가에게 받은 사랑을 말해야지.

20. 지레짐작

"쟤는 좀 성격이 이상해" 처음 들은 그 이름에 성격이 부여되었다. 얼굴도 모르고, 이름도 몰랐던 그 사람은 나에게 "성격이 좀 이상한 사람"이 되었다. 그렇게, 경험하지 못한 것에 대한 편견 하나가 쌓인다. 나는 누구를 만나든, 어떤 일을 하든 나보다 먼저 경험해 본 이에게 시작하기 전에 조언을 구했다. 먼저 경험해 본 이에게 조언을 구한다는 것 자체는 나쁘지 않다는 걸 알고 있다. 하지만 나는 그 사람의 한마디에 나의 선택을 맡겼다. 인생의 방향을 결정해달라 이야기하는 꼴이었다.

선택을 타인의 후기에 맡기다 보니 잃어버린 것들이 있더라. 아, 얘기를 들어 보니까 저 사람은 나랑 안 맞겠다. 앞으로도 가까워질 일은 없겠다 싶어 멀리했고, 그 일을 경험하면 분명히 스트레스를 받을 거라는 말에 시도도 하지 않은 일들이 있었다. 하지만 시간이 지나고 나서 보니 그 사람은 누군가에게는 참 좋은 사람이었고, 그 일은 나에게 꼭 필요한 일이었던 적이 있었다.

순간 나도 누군가에게 "쟤는 성격이 좀 이상해"의 "쟤"가 아니었을까 생각한다. 그리고 시도도 하지 않았던 그 일을 경험했다면 지금의 나는 더 성숙한 사람이 될 수 있었을까 생각한다.

서로의 세계가 참 다르다. 그러니 개인이 겪은 관계와 일의 후기가 제각각일 수밖에.

그러니까 조언을 구하되, 그것을 전부라 생각하지 말아. 네 인생을 누군가가 대신 살아줄 수 없어. 두렵더라도 직접 경험하고 직접 느껴보는 거야. 그때 선택해도 늦지 않는단다.

21. 기도

"나도 아팠던 날들이 있었어"

친구야. 아플 때는 잠깐 누워있다가, 앉았다가, 손을 잡자.

같이 있을게, 먼저 떠나지 않을게.

이거 하나만 알아줘. 잠시 멈춰있는 지금도

주님은 우리와 함께 계시다는 걸 말이야.

기도할 수 없을 정도로 아픈 시간에도 대신 기도하고 계시다는 걸 말이야.

너의 한숨이, 너의 눈물이 절대 땅으로 떨어지지 않을 거야.

22. 말

"말"에 대해 생각한다. 머릿속과 마음이 결합해 내는 소리. 자신의 살아온 것의 집합체. 말 한마디에 담긴 말투와 강세, 말의 끝처리는 당신의 삶을 닮았다.

다정함이 묻어나는 말이 좋다. 마음을 쓸어내리는 온기 있는 말이 좋다.

목소리 너머에 진심을 숨기려 하는 여린 마음이 들린다. 자신을 지키려 마음을 내보이지 않는 말을 하는 우리가 가여우면서도 대견하다. 어린아이가 언제 커서 자신을 지킨다고 무장하고 있는 모습이다.

때론 나의 말에 내 마음이 불같이 타올랐던 때도 있었다. "이런 말을 하고 싶지 않았는데"

이미 물은 엎질러졌고, 컵에 남아있는 물은 불타고 있는 마음을 식혀 주기에 너무나 부족했다. 누구나 상처를 주고, 상처를 받으며 살아간다. 하지만 덜 상처 주고, 덜 상처받을 수 있으니까. 그리고 그 상처를 아물게 하는 한 사람의 말이 있기에

조금 더 생각하고, 살피며 말하는 습관을 기르자고. 오늘도 다짐한다.

23. 청소

청소, 하면 어떤 감정이 먼저 떠오르는가? 막막함, 귀찮음, 후련함, 뿌듯함 등 다양한 감정이 떠오를 거라 생각한다. 나는 청소를 썩 잘하는 사람은 아니다. 음, 정확히 말하면 잘 어지르는 사람이다. 밖에 나갔다 집에 돌아와 입었던 옷을 내팽개치고는 쓰러지듯 눕는다. 한 시간 정도 지났을까, 느릿느릿 몸을 일으켜 구석에 처박힌 옷을 집는다. 그리곤 느릿느릿 걸어 스타일러에 걸어놓는다. 그러곤 생각한다. "아, 20분 있다가 또 꺼내서 접어놓아야 하네" 베란다에 옷을 걸어놓는 수고를 줄이기 위해 산 스타일러인데 왜 더 귀찮아진 건지 모르겠다. 엄마에게 말을 걸었다. "엄마, 사람은 왜 이렇게 할 일이 많아? 다른 할 일도 많아서 힘들어 죽겠는데, 자기 뒤치다꺼리도 해야 하는 거야?"라고. 공감 능력의 대가인 우리 엄마는 안쓰러운 표정 반, 귀엽고 웃긴다는 표정 반으로 나에게 말했다. "그래, 귀찮지, 그래도 사람이란 사소한 일까지 다 책임져야 하는 거란다."

어렸을 땐 엄마가 다 해줬었는데, 크고 나니 책임져야 할 일투성이다. 내가 선택한 일들에 책임을 지고, 실수한 것들을 수습해야 한다. 어릴 적 꿈을 꾸는 일은 그저 나를 행복하게만 했는데 이제는 그 꿈이 나에게 부담으로 다가와서 짓눌리곤 한다. 내가 꾼 꿈에 책임을 지기 위해서 해야 할 일들이 하나둘씩 늘어갈 때 어른들의 말이 너무나도 이해가 됐다. "시호야, 어른이 되면 좋은 것도 많지만, 안 좋은 것들이 더 많단다. 지금은 네가 너 자신을 책임지지 않아도 되지만 어른이 되면 하나부터 열까지 다 자신의 책임이 돼"

내가 쌓아온 관계, 꿔왔던 꿈에 책임을 지려 아등바등 살았다. 그래서 하나가 좌절되면 마음에 큰 구멍이 생긴 듯 죄책감의 구렁텅이에 줄곧 빠지곤 했다. 책임이라는 거, 대체 뭘까. 행복해지려고 결심한 것들이 오히려 나를 옭아맨다. 그러다 번뜩 깨달았다. "나, 일기를 쓰고 있지 않았구나" 나를 챙기려 매일매일 쓰던 일기, 나는 내 일기장에 하루에 느꼈던 모든 감정과 사색을 적었었다. 누구보다 나를 더 잘 알아주던 그 일기장에서 쑥쑥 자라갔던 날들이 사무치게 그리운 순간이었다. 그땐 하루가 바빠도 지치지 않을 정신의 동력이 있었다. 매일 해묵었던 감정을 낱낱이 벗겨내고 소망과 사랑을 채웠으니까.

그런 감정을 느껴본 적이 있는가? 오래도록 미뤄두었던 빨래를 해치웠을 때의 상쾌함을, 어딘가 모르게 울컥하던, "내가 할 수 있었구나" 하며 안도하던 순간을 경험해보았는가. 어질러진 방에서 훌쩍거렸던 날들이 말끔하게 사라져서 상쾌한 공기를 맡으며 푹 잠이 들었던 날, 나는 나를 챙기는 일이란 내가 속한 공간도 마음도 주기적으로 "청소"하는 일이라는 걸 알았다. 나는 다짐한다. 당장 책임져야 하는 일이 있더라도, 앞에 해결해야 할 문제가 떡하니 보이더라도 매일 나의 마음을 들여다보는 일을 멈추지 않겠다고. 꿈꾸는 빛나는 눈빛을 잃지 않도록 어린 마음을 보듬어주겠다고. 그 과정이 괴롭고 아프더라도 막상 끝내고 나면 충만해질 마음을 안다. 그러니 오늘도 내 마음을 찬찬히 들여다보고 먼지도 살짝, 묵혀놓은 책들도 "으샤", 빛이 나게 닦고 나면 책상에 향기로운 작은 캔들을 켜놓아야지.

24. 사랑할 수 있을까

사람들에게 실망하는 날이 많은 요즘이다. 가까운 사람들이 나를 상처 입힌 날들이 참 많았다. 그리고 주변에서도 의도하지 않은 악함으로 상처를 입은 사람들의 이야기가 귀에 꽂힌다. 나는 생각한다. 인간을 정말로 사랑할 수 있는 걸까? 사랑스럽지 않은 대상을 사랑한다는 것이 가능하기나 한 걸까.

최근 사람을 볼 때 두 가지의 감정이 함께 떠오르는 마음이 혼란스러웠다. 한없이 사랑스럽다가도 한없이 혐오스러워지는 것이다. 성경은 이렇게 말한다. "예수님께서 죄인이었던 나를 사랑해주신 것처럼 타인도 하나님의 형상으로 바라보며 사랑스럽지 않은 모습도 품어주어야 한다."라고. 그런데 왜 이렇게 그게 어려울까. 누군가의 악함을 보면 올라오는 울분과 혐오감을 참을 수 없다. 나도 완벽하지 않은 존재라는 걸 알면서도 상상을 뛰어넘는 인간의 악함을 보고 있노라면, 그 악함이 누군가를 좌

절시키고 있는 것을 보고 있노라면 내 안에 있던 인간에 대한 불신과 혐오감이 머리를 치켜들고 나를 망가뜨릴 준비를 하는 것만 같다.

인생을 살면서 "미움"이란 감정이 나를 행복하게 만들어 준 적은 단 한 순간도 없었다. 나의 마음을 점점 썩어가게만 했을 뿐이다. 미워하지 않으려면 어떻게 해야 할까, 미워하지도 사랑하지도 않는 상태는 가능하기나 한 걸까. 나는 이 혐오스러운 감정을 인정하기로 했다. 이 혐오스러움이, 한심함이 내 안에 있기도 하지만 그 아래에는 사랑스러움이 그 모든 것을 받쳐주고 있다는 것을 알고 있다.

인간의 악함은, 죄는 미워하되, 인간의 존재는 사랑스러워하는 것. 그 양면의 감정이 그리스도인들에게 미움의 해결책이 된다. 혐오감을 느끼는 자신을 부인하지 않고, 억압하지 않은 상태에서 감정의 대상을 명확히 구분할 때 자신과 타인을 수용할 수 있다.

이 미운 감정으로부터 해방되고 싶다. 악한 모습을 보았을 때 긍휼한 마음이 가장 먼저 들었으면 좋겠다. 저 사랑스러운 존재가 죄악으로 인해 부패하였구나, 통탄스럽구나. 화의 대상을 "사람이 아니라 죄"에 두자.

25. 집

이사를 합니다. 16년간 살았던 이 집을 두고서요. 그런 말을 들은 적이 있습니다. "오랫동안 살아왔던 집에 대한 추억을 잘 정리해야 한다"라는 이야기를요. 사실 아직도 잘 모르겠습니다. 그저 두려움이 듭니다. 이 집을 떠나서 추억을 잘 남겨놓고 새로운 나의 집을 만날 수 있을지 모르겠습니다.

나는 새로운 것에 적응하기가 참 힘듭니다. 항상 그랬습니다. 익숙한 것이 좋았습니다. 익숙한 것과 장소에서 나는 향기가 좋았습니다. 그런 것들에서 나는 항상 마음의 안정을 얻었습니다. 어느 날을 기억합니다. 차갑고 푸른 바깥의 세상을 견디다 집 도어락을 누르고 집에 들어섰을 때 요리하고 계시는 어머니와 상을 차리고 계시던 아버지의 환대, 그리고 따뜻한 노란빛의 형광등. 온몸에 스며들던 온기를 기억합니다. 드디어 내가 있을 곳에 왔다.

이 집에서 누렸던 사랑을 떠나보내고 새로운 집을 사랑하자니 싫은 마음이 듭니다. 이게 바로 '정'이라는 걸까요? 익숙해져서, 마음에 너무 깊이 들어와 버려서 놓기 쉽지 않음을 뜻하나 봅니다. 새로운 것을 좋아하는 사람들도 많다는데, 나는 새로운 것보다 낡은 것이 좋습니다. 조금은 낡고, 맨살을 댔을 때 차갑지 않을 것 같은 것들이 좋습니다. 그래서 쉽게 무언가를 떠나지 못하나 봅니다. 집도, 사람도 끈덕지게 잡고만 있고 싶습니다. 내 앞에 새로움이 나를 행복하게 할지도 모르는데 지레 겁을 먹고 이미 떠나가 버린 지난날의 추억에 숨어버리는 일이 참 많습니다.

어른들에게 물어보고 싶습니다. 어떻게 이미 떠나버린 것들을 잘 정리할 수 있나요. 마음에 완전히 정리할 수 있는 것이란 존재하는 건가요. 이런 마음에 삶을 마쳐야 할 때 미련이 남아 떠나고 싶지 않아지는 걸까요.

새로움에 대한 확신이 있었으면 좋겠습니다. 내가 새로운 것들 안에서 행복할 수 있다는 확신, 새로운 것들도 어느새 익숙해져 그곳에서 안정을 얻을 수 있을 것이라는 확신이 있었으면 좋겠습니다. 그러나 나는 내일의 일조차 알 수가 없습니다. 몇 분 뒤의 내 모습도, 내 마음도 알 수 없는 현재에 살고 있습니다. 알 수 없는 미래에 새로운 집에서 나는 무얼 하고 있을까요. 햇살을 받으며 좋은 수필집 하나를 들고 읽다 포근하게 잠을 자고 있었으면 좋겠습니다. 그리곤 어머니의 부름, "시호야 자니? 밥먹자". 조금의 시간에도 푹 잠을 자서 기분 좋게 일어나 어머니와 밥을 먹고 산책을 나가야지요.

새로운 공간도 나 혼자라면 익숙해지기 힘들 텐데 함께 사는 가족이 있어, 비슷한 일상을 공유하는 사람이 있어 참 다행입니다. 아무리 두렵더라도 함께하던 사람이 있다면 다 괜찮은 걸까요. 새로움에 혼란한 마음을 익숙한 누군가에게 털어놓을 수 있다면 괜찮나 봅니다. 익숙한 사랑의 품에서 잠들 수 있는 밤이 있다면. 그래서 오늘도 익숙한 것들을 많이 만들어 놓자고, 그리고 익숙한 것들을 소중하게 대하자고 다짐합니다. 새로움을 견딜 수 있게, 그 새로움이 또 다른 익숙함이 될 수 있게.

26. 아빠의 눈

아빠와 피자를 시켜놓고 지브리 스튜디오의 '이웃집 토토로'를 보았다. 피자와 치킨, 라면 같은 것들을 가장 좋아하는, 일명 '소울푸드'라고 말하는 그는 아내에게 그러한 음식을 먹을 때마다 잔소리를 듣는다. 엄마는 아마도 점차 나이가 들어 몸이 아파질 남편이 걱정되어 불안한 눈길을 보내는 것 같다. 하지만 허리 통증으로 많은 시간을 고생해온 그는 가끔 허리가 너무 아프면 그것들을 공식적으로 먹을 '권리'가 생긴다. 그런 날에는 무지막지한 잔소리를 퍼붓는 엄마도 먹고 싶은 것이 없냐며 아빠를 달랜다.

비가 주룩주룩 왔던 그 날은 나도, 아빠도 허리를 삐끗하여 집에 붙잡혀 온종일 누워 있어야만 했던 날이었다. 평소라면 둘 다 바깥에서 할 일을 했을 시간이었다. 아빠는 나에게 말했다. "피자라도 시켜 먹을까?" 나는 말했다. "그러지 뭐" 평소에 아주 가끔 아빠와 피자를 먹는 시간이 있었다. 그때는 내가 영화라도 보면서 먹자고 말하면 무슨 영화를 보냐며 빠른 속도로 피자를 해치우고 갔던 그였다. 하지만 오늘은 달랐다. 혹시나 하는 마음에 영화를 보겠느냐고 물었고, 아빠는 좋다며 기대에 부풀어 영화를 시청했다. 그는 말했다. "피자 한 판에 콜라를 마시며 영화까지 보니 아주 피서구나" 매일 바쁘게 일하는 그에게 오랜만에 의미 있는 휴식을 선물했다는 사실에 뿌듯함이 일렁였다.

그는 이웃집 토토로를 보며 옛날의 자신을 겹쳐 보았다. "그래, 옛날엔 여름에 너무 더워서 꼭 저렇게 입고 다니곤 했다"라며 추억을 회상했다. 내가 좋아하는 아빠의 눈, 과거를 찬찬히 되짚는 깊은 눈. 나는 아빠의 그런 눈을 닮았다. 아빠와 거울을 나란히 보노라면 깊은 그 눈이 너무 똑같아서 둘 다 어이없다는 듯이 웃음을 터뜨리곤 했다.

27. 인생을 함께 짊어진다는 것은

　단점도 온전히 품어줄 수 있는 관계를 원한다. 가족도 쉽게 이야기할 수 없는 주제를 상처받지 않고 수용할 수 있는 관계는 어떤 관계일까. 깊은 신뢰와 사랑이 바탕이 되어야 하겠지. 서로가 서로에게 단점을 알면서도 포용해 줄 수 있는 대상임을 안다면 우리는 쉽게, 사려 깊게 피드백하고 나아질 수 있도록 도와줄 수 있겠다. 교회에서도 이러한 관계가 많아졌으면 좋겠다. 우리는 가족이니까, 더 가까워져서 단점을 수용하면서도 용기를 주는 하나님의 가족 공동체가 되고 싶다.

　그런 생각을 했다. 저 사람이 미워 보이면 우선 친해져야겠다고. 신뢰를 쌓고 사랑을 나누어 단점을 얘기해도 괜찮을 관계를 만들어야겠다고. 그래서 함께 예수님을 닮아가자고 말하고 싶다.

가장 중요한 것은 해낼 수 있을 때까지, 나아질 때까지 함께 하는 것
이다. 그저 기대하며 바라만 보고 있지 않고 함께 화도 내고, 울기도하
고. 나아진 모습에 "그땐 그랬지. 많이 컸다 우리" 하며 껄껄 웃기도 한
다. 사랑한다는 건, 인생을 함께 짊어진다는 것 아닐까. 예수님께서 내
죄의 짐을 대신 지신 것처럼 누군가의 연약함을 같이 진다는 것 아닐까.
함께 가서 예수님과 쉬자.

28. 낭만에 대하여

낭만, 사전에는 "현실에 매이지 않고 감상적이고 이상적으로 사물을 대하는 태도나 심리. 또는 그런 분위기"라는 뜻으로 정의되어 있다. 현실에 매이지 않을 수 있는 상황과 공간에서 우리는 자유로이 감미롭게 낭만적인 분위기를 즐긴다. 나에게 현실을 벗어난 듯 낭만을 보여준 공간이 있다. 어렸을 때부터 살았던 왕십리, 남자친구가 생긴 뒤 조용하고 분위기 있는 식당과 카페를 찾아다니다 알게 된 카페가 있다.

어느 추운 날 밤에 우리는 좁은 골목을 걷다 인디 음악이 새어 나오는 건물에 멈춰 섰다. 직감적으로 알았다. "아, 앞으로 단골처럼 시간을 자주 보낼 공간이다." 무슨 메뉴가 있는지, 인테리어가 어떤지 정확히 알지도 못한 채로 우리는 홀린 듯 계단을 올랐다. 작은 건물 2층에 있는 카페, 1층에서부터 사장님께서 손글씨로 써놓은 마음을 울리는 말. 인디 밴드 공연을 홍보하는 포스터. 문을 열고 들어섰을 땐 조금은 어둡지만 따뜻한 조명이 아늑하게 우리를 반겼다. 마치 산장에서 하룻밤을 보내는 것처럼 느껴지는 공간. 사장님이 읽으셨던 것 같은 책이 자유롭게 쌓여있다. 다른 카페와는 다른 푹신하고 뜨듯한 소파에 앉아 짐을 정리하면 사장님이 천천히 다가오신다. 그리고 빙그레 웃으며 물으신다. "메뉴입니다. 천천히 고르시고 불러주세요." 아, 이런 사람이 이런 카페를 만들 수 있는 거구나. 공간은 사람을 닮는구나. 나도 언젠간 나를 닮은 공간을 만들 수 있을까?

눈빛이 마주치고 우리의 마음을 대변하듯 흘러나오는 노래에 마음이 푹 젖어버렸다. 시간이 멈춘 듯했다. 작은 공책이 있었다. 연인을 위해 질문이 준비된 공책. 상대방에게 어울리는 계절, 언제 행복감을 느끼는지에 관한 질문 등으로 우리는 더 깊게 서로를 탐구했다. 그리고 함께해 온 지난 시간에 감사했다. 공책에 적은 우리의 이야기가 카페에 계속 남아있다는 점은 이 공간을 사랑하는 이유 중 하나가 되겠다는 생각이 들었다. 우리는 정말로 이 공간을 사랑했다. 우리의 취향과 완벽하게 맞는 이곳에서의 시간은 현실을 벗어난 듯해서 있다 보면 두세 시간이 훌쩍 넘어 집에 가야 했다.

어느 날은 사장님이 카페에 놔두시는 공책에 적인 방명록과 누군가의 일기를 보며 이야기했다. "우리도 공책을 한 번 놓고 가볼까?" 남자친구의 아이디어였다. 처음에는 과연 사람들이 이 공책에 방명록을 쓸까, 하며 기대 반 장난 반으로 공책을 놓고 떠났다. 개인적인 이유로 카페에 방문하지 못했던 몇 개월이 지나고 다시 카페에 함께 왔을 때 공책부터 찾았다.

사람들의 마음 가득한 글이 공책에 담겨있었다. 누군가에게 작은 해방이 되어주었으며, 추억을 공책에 적으며 가슴에 새기도록 도왔다는 생각에 뿌듯함이 차올랐다. 영화에나 나올법한 이야기 아닌가.

이 사람과 함께하는 시간은 낭만으로 가득 차겠구나. 영화 같은 이야기가 직접 일어날 수 있도록, 나의 마음을 충만하게 해줄 수 있는 사람. 좋아하는 걸 같이 좋아하고, 낭만을 같이 즐길 수 있는, 누군가의 마음을 허투루 생각하지 않는 사람. 그런 사람이 내 곁에 있어 참 다행이다.

29. 남의 잘남에 기뻐하는 삶

질투, 누군가 나보다 뛰어남을 보였을 때 마음속에 올라오는 고약한 감정. 특히 비슷한 처지에 있는 사람일수록, 나와 가까운 사람일수록 이 감정은 빠르게 마음을 지배한다.

중학교에 다닐 때 노래, 춤, 그림, 글에 소질이 있었던 나는 학기 초 많은 아이에게 인기를 얻었었다. 인기는 바라지도 않았는데, 주위에 항상 친구들이 있었다. 그런데 어느 날부터 왜인지 모르게 함께 다니던 친구들이 점점 줄어들었다. "다른 친구들이랑 친해지고 싶나보다" 하며 별 신경 쓰지 않고 해맑게 학교에 다녔다. 그런데 한두 명씩 떠나가던 친구들이 많아지자 내 옆에는 딱 두 명만 남았다. 그리고 다른 한 명은 이미 다른 무리에 들어가고 싶은 눈치였다.

참, 지금 생각해보면 아이들의 감정이 다 보이는데 그때는 아무 생각도 못 했다. 내 옆에 한 명만 남았을 때 같이 다니던 다른 한 명이 나에 대해 거짓 소문을 반 전체에 퍼뜨렸다. 난 그 광경을 매일 직관했다. 사실 나는 말이 많은 편도 아니고, 감정 표현이 풍부한 아이도 아니었다. 그래서 쟤가 대체 나한테 왜 그럴까…. 하는 궁금증이 있었다. 그 아이가 나에 대한 소문을 퍼뜨리고 나서, 나를 질투했지만 미워할 구실이 없었던 아이들은 내 앞에서 대놓고 나를 미워했다. 남자아이들과 친한 것부터, 내가 잘하는 모든 것을 하나하나 헐뜯었다. 지금이었다면 화를 냈겠지만, 그때는 너무 어리고 마음이 약해서 화살을 쏘는 대로 다 맞았다. 중학교 시절이 지나고 고등학교 때부터는 절대로 친구들에게 미움받지 않겠노라 다짐을 했다. 내가 잘하는 것은 숨기고, 다른 사람들이 잘하는 것을 잘 칭찬하는 사람이 되자고. 말 수가 줄어들고 더 튀지 않게 몸을 사리는 나를 보면서 괴리감을 느꼈다. "나도 내가 잘하는 걸 보여주고 싶어"라는 큰 욕망을 억누르고 있었으니.

지금도 질투하는 사람을 본다. 자신의 열등감으로 인해 나를 미워하는 사람들. 그들에게는 나의 잘남을 덜 보여주고 그들의 잘남을 칭찬한다. 단순하게도 그럼 더는 나를 미워하지 않는다. 오히려 따뜻하게 나를 바라본다. 비위를 맞추는 삶이다. 어렸을 때의 깊은 상처가 미움받고 싶지 않다는 방어기제를 만들어냈다.

그래서 다시 생각한다. 나는 누군가의 뛰어남을 지지해주는 사람이 되겠다고. 물론 나도 질투 나는 대상, 나보다 유명하다는 이유로 미워지는 사람이 있다. 하지만 그의 성취에 함께 기뻐하고, 나의 검은 마음을 직면하여 하나님께 내어 드려야지.

질투하며 살기엔 너무 귀한 인생이다. 내 마음, 내 인생에 집중하자. 그리고 누군가의 뛰어남을 보기보다 그 존재를 사랑하려 노력하자.

30. 첫눈에 알아본다는 말이 있다.

사람을 처음 봤을 때 느낀 느낌. 첫인상으로 사람을 모두 판단하기는 어렵지만, 사람을 처음 봤을 때, 3초로 판단한 성격이 대체로 그 사람의 실제 성격과 높은 유사도를 보인다고 한다. 아무리 그렇다고 해도 나는 사람의 첫인상만을 가지고 누군가를 완전히 판단하지 않겠노라 다짐하곤 했다. 자주, 대화를 나눠보면 첫인상과는 다른 그 사람의 성격이 보이기도 했으니까. 그럴 때마다 내 느낌과 생각은 완전히 믿을 수 없다는 것을 뼈저리게 느꼈다. 하지만 그와는 반대로 첫인상과는 다를 거라 생각하며 말을 나눠 보아도 힘을 쏟은 것이 무색하게 결국엔 나를 아프게 했던 사람들이 있었으며, 첫인상과 같이 따뜻한 마음씨를 가진 사람들이 나를 치료해주기도 했다. 내 느낌을 완전히 믿을 수 없다고 생각하면서도 상처 입고 싶지 않아서, 사람들 안에서 쉬고 싶어서 같은 결을 가진 사람들을 찾는 레이더가 많이도 발달해 있는 것이 현재의 내 모습이었다.

처음엔 나와 결이 맞지 않아도 예수님께서 나를 위해 해주신 것들을 생각하며 기꺼이 친구가 될 수 있다고 생각했다. 우리는 하나님 안에서 가족이니, 나의 거리낌 정도는 희생할 수 있다고 생각했다. 다른 결이 만나 엉키는 대화에도 나의 결을 지키면서 상대방의 결을 존중하고자 노력했다. 하지만 나의 마음 밭이 아직 너무 작아서인지 이런 내 노력을 알아주기를 바랐다. 인간이란 받으면 더 받고 싶고, 남의 호의가 오래되면 익숙해지는 것이 본성 아닌가. 그들의 결에 맞추기 위해 끙끙대던 나를 그들은 당연하게 여겼고 그 당연함이 발견될 때 허무를 느꼈다. "왜 내가 이렇게까지 해야 하나"라는 알량한 이기적인 마음이 고개를 쳐드는 것이다.

그런데 나와 결이 아주 다른 한 사람이 있었다. 계속 대화를 해봐도 맞지 않는 결 때문에 이 관계를 포기하고 싶다고 생각했다. 그 사람은 처음 만났을 때부터 무언가가 깊이 느껴졌다. 그 사람도 그걸 느꼈는지 우리는 "첫눈에 서로를 알아보고" 만남을 이어갔다. 서로를 알아가는 시간이 지난 후 정식으로 관계를 정립했을 때 서서히 서로의 다른 결을 직면하기 시작했다. 서로의 말을 이해하지 못할 때가 참 많았고, 대화 중 마음에 상처를 받은 적도 많았다. 우리는 그래도 부단히 노력했다. 서로가 상대방의 결이 되기 위해 엉기고, 나의 결이 망가져도 피하지 않았다. 항상 자신의 마음을 정직하게 전하기로 약속했다. 시간이 지나고, 이제 우리는 둘도 없는 영혼의 단짝이 된 것처럼 밤새 이야기를 한다. 같은 꿈을 꾸고, 그 꿈에서 동반자로 살아가는 모습을 상상한다. 당신의 마음이 나의 마음 같고, 당신의 생각이 내 생각 같다.

  같은 결의 사람을 만나면 처음부터 편안함을 선사한다. 저 사람이 어떤 말을 하고 싶은지 찰떡같이 알겠는 그런 관계. 다른 결에서 같은 결이 된 사람은 편안함과 동시에 더 깊은 마음을 선물한다. 너무 비슷해서 평행하여 흐르는 결이 아니라, 너무 달라서 엉키고 또 엉키다가 하나가 되어버린 결. 상대방을 수용하다가 결국엔 존재 자체를 완전히 받아들이게 된다. 하나가 되었기에 절대로 떨어지고 싶지 않은 사람이 내 인생에 생겼다.

  이 경험은 관계의 가능성을 재단할 수 없다는 큰 깨달음을 주었다. 아무리 결이 다르더라도, 나와는 다른 사람이라도 피하지 않겠다는 결심이 내 안에 생겼다. 완전한 선이신 예수님께 정말 안 맞는 사람인 나. 태어나길 죄를 가지고 태어나 예수님과는 아주 다른 결을 가진 나를 계속해서 찾아오신 것처럼 나도 나와 다른 마음을 가진 사람을 계속 찾아가겠다고 다짐한다. 내 마음의 편안함보다 주님의 뜻을 지키는 삶이 결국 성숙과 깊음을 주니까.

31. 꿈

꿈. 내가 되고 싶은 모습. 내가 목표로 하는 어떤 것. 개인의 고유함이 너무나 잘 보여서 우리가 정말로 반짝거리는 순간. 꿈을 이야기할 때 우리의 마음은 귀하게 반짝거린다. 가장 큰 별이 가장 먼저 보이다가 금세 주변의 작은 별들도 반짝거리듯 반짝이지 않는 꿈이 없고, 반짝이지 않는 사람이 없다.

꿈 없이 하루를 살 수 있을까. 우리는 목적 없이 나아갈 수 있을까. 나에게 목적과 소망을 알려준 당신이 내게 얼마나 큰 존재인지, 또 한 번 실감한다.

내가 믿을 수 있다는 것. 계속해서 응시하며 한 걸음 내딛고, 어두운 터널 속에서 저기 앞에 있는 작은 빛을 잡는다.

어렸을 때는 하늘에 있는 별 중 "나의 별"이 있다고 믿었다. "아빠, 하늘에 내 별이 있다면 나를 닮았을 거야. 내 별은 무슨 색일까?" 아빠가 말했다. "무슨 색이었으면 좋겠어?"

32. 나를 바라보기

　내가 나를 너무 몰라서 무슨 말을 하고 있는지 조차 모를 때가 있다. 나는 평소에 어떤 표정으로, 어떤 눈빛으로 살았더라. 어떨 때 가장 즐거웠나. 내가 누군가에게 따뜻하게 대할 때의 마음은 어떤 느낌이었더라. 하고 밝은 기억들을 회상하듯 찬찬히 돌아보곤 한다. 그렇게 하나 둘, 나라는 사람을 조각조각 맞춰간다. 사람의 말과 행동은 마음을 만들어 가고, 마음은 말과 행동을 만들어 간다. 어리석고 따가운 사람이 되지 않기 위하여 다시 바라보며 둥글게, 둥글게 빚어가는 것이다.

33. 질문을 부끄러워하지 않는 품성

부끄러움 없이 질문하고, 질문에 대한 답을 차분히 수용할줄 아는 것도 품성이다. 나는 그런 품성을 가진 어른을 보았다.

도서관에 처음 오셨는지 시스템이 낯설어 보이셨다.

"책은 어떻게 빌리는 거예요?"

정중하고 차분한 목소리로 사서에게 물으셨다. 그 질문에 사서는 친절하게 대답해주었다.

"회원증은 어떻게 만들어요?"

사서가 알려준 내용이 헷갈리시는지 이해가 안 되는 부분이 있으면 재차 되물으셨다. 슬슬 질문에 대답하는 사서의 얼굴이 지쳐보였지만 알려준 것을 끝까지 경청하고 이해한 다음 사서에게 감사를 전하셨다.

나는 질문하는 것을 두려워하는 사람이었다. 나의 무식이 들킬까봐 몰라도 아는척했고 질문을 하면 대답해주는 것이 당연하다고 생각했다. 하지만 대답해주는 것이 그 사람의 일의 일부분이라고 해도 그 일을 하는 사람 또한 인간이기에 마음과 생각을 나에게 쓰는 것이다. 아무것도, 당연한 것은 없다. 내가 모든 것을 알 수 없고, 모르는 것은 알아가면 된다. 이전에 보았던 그 정중한 어른처럼 모르는 것을 부끄러워하지 않고 용기를 내어 질문한다면 더 많이, 빨리 성장할 수 있을 것이다.

내가 모르는 것에 대해 창피해 하지 않는 것은 나에 대한 존중이고, 대답하는 이에게 정중한 태도를 보이는 것은 타인에 대한 존중이다. 잠깐의 시간에서 자신의 마음과 타인의 마음을 존중하며 살아온 어른의 시간을 보았다. 나 또한 따스한 시간을 남기며 살아가는, 기억에 남을 만 한 시간을 가르치는 사려깊은 어른이 되어야지. 하고 생각한다.

34. 곳곳에 비추는

하늘이 높고 햇빛이 주황빛을 띠는 계절은 눅눅했던 마음을 빳빳하게 말려준다. 느긋하게 눈을 뜬 아침에 주황빛 햇빛이 방 안으로 스며든다. 온몸에 따스한 빛이 구석구석 비친다. 빛을 받은 나뭇잎이 아름답게 보이듯, 평소에는 신경 쓰지 않았던 몸의 부분이 보인다. 손가락을 구부렸다 폈다, 다리도 조금 뒤척여본다. 나의 존재를 확인하고 아름다워하고는 안도한다. 내 존재의 목적은 있는 이대로 누리는 것에 있구나. 하나님을 온전히 느끼는 데에 있구나.

35. 달리기

수업에 늦을 것 같아 달렸다. 달리는 내내 나를 휘감은 자유, 해방. 나는 무엇에 억압되어 있는가. 책 모임을 하면서 나도 모르게 나의 억압에 대해 말하곤 한다. 당위의 것에서 벗어나고 싶다. 나의 족쇄는 누군가의 아픈 마음에서 비롯되었고, 나에게 족쇄를 채운 그 사람은 자유로워졌다. 남은 나는 나 자신의 족쇄가 되어 하늘을 날아가려 발돋움하는 나를 꿋꿋이 잡아당긴다.

나는 무엇을 원하는가, 소속감을 원한다. 깊은 소속감을 원한다. 나에게서 멀리 떨어져 보면 소속되어 있는 곳도 참 많은데, 나의 마음은 항상 외인이다. 같은 성질의 상처는 켜켜이 쌓여 관계를 형성하는 데에 장애물로 작용한다. 사랑해 주는 사람들이 있으나 나의 마음은 외딴섬에서 그들을 지켜본다.

누군가가 말했지, "깊어지고 싶지 않아요"

사유를 막고 싶다. 깊어지고 싶지 않아. 더 생각하면 직면해야 하고, 피곤한 마음이 따른다. 그러나 사유를 피하면 피할수록 마음은 썩어가고 있음을 나는 알지 못하는가. 이제는 다시 나를 똑바로 바라볼 때다.

나만의 바다에 잠겨 작은 마음을 찾아내는 여정에 용기가 있기를, 사랑하는 사람들을 계속 사랑할 지혜가 있기를.

36. 마주 보며 맑게 웃을 수 있는 믿음

　바깥에서 아주 피곤했던 나는 이것저것 물어보는 엄마가 귀찮았고, 결국 날카로운 말을 하고 말아서 엄마에게 죄송하다 말하며 방에 들어가고 있었다. "너는 못 못나잖아" 그 찰나에 아빠가 말했다. 그 말을 듣자마자 왈칵 눈물이 난 건 왜일까.

　나는 종종 아빠에게 아무에게도 해를 입히고 싶지 않다고 했다. 누군가가 아파하는 모습을 보면 나서서 도와주고 싶었고, 내 잘못이 아니더라도 상처받았다 말하면 그저 미안하다 사과했다. 사람의 마음이란 참 신기한 것이, 상대방의 작은 한 마디가 치명타가 되어 관계를 단절하고 싶은 욕구가 들기도 한다. 걱정하고 기도했던 시간이 무색하게 말이다. 나 또한 그렇게 변덕이 심하고 약한 존재임을 알기에 괜찮다고 말하고 싶다. 미워하지 않는다고. 서로를 더 이해할 수 있을 때까지 기다릴 수 있다고. 그리고 이해하지 못해 미안하다고.

왜 이리도 질긴 마음을 주셨을까. 미워하고 싶다가도 나 같은 사람을 미워하지 않으신 예수님이 생각나서 그럴 수가 없다. 나를 포기하지 않겠노라 말씀하신 예수님이 생각나서 아무도 잊을 수가 없다. 덕분에 나는 나를 떠나간 사람들의 이름을 잊지 않고 자주 부른다. 당신의 일상에 내가 없더라도 많이 웃었으면 좋겠다. 따뜻한 사람들 안에서 돌봄 받고 있으면 좋겠다. 세상과 사람에게 받은 상처를 하나님이 치유해 주시기를 간절히 구한다.

우리는 언젠간 마주 보며 맑게 웃을 수 있을 거야. 그렇게 믿게 해주셨으니까.

37. 배어 나오는 대로

나를 아프게 하는 사람이 있었다. 어떻게 하면 그 사람을 사랑할 수 있을까 고민하는 나에게 친구는 이렇게 말했다. "그냥 저 사람을 사랑하려고 하지 말고 없는 사람처럼 대해. 그게 마음 편하지 않아?" 나는 이렇게 답했다. "그럼 정말 마음이 편해질까? 오히려 숨긴 미움이 나를 망가뜨리는 일인 걸. 그리고 난 그렇게 살지 않기로 다짐했어." 친구는 이해가 가지 않는다는 듯이 갸우뚱, 하며 말을 마쳤다.

진실로 생각한다는 건, 마음에 있는 작은 씨앗까지 살펴본다는 뜻이다. 나의 행동은 어떤 마음으로부터 비롯되었나 재고해 보아야 한다. 나를 아프게 하는 저 사람을 무시한다는 것은 결국 "존재 자체"를 마음에서 없애버리는 것과 같은 말이다. 과연 사람의 존재를 지워버린, 상처받은 일을 지워버린 나의 마음은 정말로 온전하다 말할 수 있을까? 나는 여태까지 누군가를 없다 치거나 무시했을 때 마음이 평안하다 느낀 적은 없었다. 잠시 자유했을 뿐, 가해자 없이 남겨진 고통은 어떻게 치유되어야 할 바를 모른 채 외로워했다.

하나님은 어떤 마음이라도 허투루 넘어가려고 하지 않으신다. 무엇이 나에게 기쁨이 되는지, 나의 마음의 평안함이 되는지 알고 계시며 당신의 쪽으로 나를 이끌고 간다. 싫어하는 사람을 사랑함이 나에게 자유를 줬다. 용서함이 나에게 용기를 주었다. "이렇게 피곤하게 살고 싶지 않아"라고 생각한 적도 있었다. 하지만 앞에서 말했다시피, 진실로 동기를 살펴 가며 행동하지 않는 것이 나를 망치는 길이다.

그리스도인은 그리스도인답게 사는 것이 가장 행복하다. 그리고 그것이 가장 자연스럽다. 주변 사람들이 뭐라고 하든 휘둘리지 않았으면 좋겠다. 우리는 하나님의 반대편으로 달려가는 척할 수 없는 사람들이니까. 그분의 뜻을 거절해도 결국엔 하나님께 완전히, 묶여있다고 느끼지 않는가?

옳음을 선택하는 습관은 당신을 행복하게 해줄 것이다. 우리는 은연중에 서로를 신뢰하고 누군가를 도우며 사랑하고 싶어 한다. 그것을 만드신 분이 하나님이시다. 거부하고자 하는 본성을 돌파하자. 당신을 가장 행복하게 하실 분을 바라보자.

배어 나오는 선함이, 기쁨이 누군가를 당황케 할지라도 우리의 동기가 무엇인지 궁금해할 한 사람을 위해 배어 나오는 대로, 자연스럽게, 가르쳐 주시고 경험하게 하신 하나님을 닮게 살아내자.

38. 사랑의 깊음은 어디에서 올까

상대방을 있는 그대로 바라보고 나보다 남을 먼저 생각하게 되는 것. 누군가의 문제에 어물쩍 넘어가지 않고 함께 짐을 지고 걸어가는 것. 땅을 보고 걷는 자에게 하늘을 가리키는 것. 올바르지 않은 길을 걷는 자에게 근심하는 마음으로 지혜롭게 조언하는 것. 아직도 문제가 해결되지 않았으나 하나님을 소망함으로 마음에 평안을 함께 경험하는 것. 냉담한 눈이 아니라 따스한 빛이 담긴 눈으로 사랑스럽게 바라보는 것.

이 모든 것은 내 마음에 충만한 그분의 마음에서 온다. 아주 자연스럽게. 성경을 읽다보면 그분의 지혜가 보이고, 사랑이 보인다. 눈에 보이지 않던 것들이 현실로 실제함을 깨닫는다.

사람의 마음은 너무나 연약하여 말 한마디에 가치체계가 뒤엎어지기도 하고, 새로운 사실이 발견되면 그동안 주장했던 이론들이 소용없어지기도 한다. 모든 것이 썩고 부서질 세상에서 우리가 붙잡아야 할 생각과 존재는 무엇인가.

흔들리는 세상 속에서 흔들리지 않고 영원한 존재, 사랑의 이유와 그 자체가 되시는 분을 나는 더 알고 싶다. 앞에 놓인 현실을 견뎌내느라 하나님의 말씀을 듣고 대화를 나누지 않을 때의 공허함에 민감해지고 싶다.

하나님의 사랑이 어디에 있냐고 묻는 나의 말에, 나 같은 사람도 당신의 자녀로 받아줄 거냐는 질문에 "내가 여기 있다" 라며 사랑으로 온 몸을 감싸는 당신에게. 나를 사랑한 당신의 마음을 닮아 깊은 사랑을 누군가에게 닿게 하겠다고 대답한다. 나는 없고, 당신이 내 안에 있다면 모든 것이 가능해지겠지.

믿음을 주세요. 당신의 사랑을 거침없이 표현할 수 있는 용기가 있도록.

39. 어린이, 사랑

어린이, 사건 하나

더운 여름, 태양의 열기가 땅을 뒤덮고 노란색이 마냥 퍼져 있었던 정오에 우리는 길 잃은 할머니를 만났다. 땀을 뻘뻘 흘리며 주변을 기웃거리던 할머니. 기진맥진한 얼굴로 태양을 바라보고 계셨지. 초등학교 5학년, 4학년까지는 저학년이고 5학년부터는 고학년이라고 이제 나도 언니가 됐다고 우리 엄마가 그랬다. 고학년에 올라온 어린이는 그에 맞는 책임감이라도 생기는 건지 어려움에 부닥친 사람들을 보면 지나치는 것이 불가능했다.

나는 할머니의 표정을 보자마자, 할머니의 작은 두 손에 들린 무거운 짐을 보자마자 주저할 새도 없이 말이 튀어나왔다. "도와드릴까요?" 나의 말에 할머니께서는 맑게 웃으며 말씀하셨다. "그래줄 수 있어요?".

"일단 짐부터 주세요!" 함께 있던 친구들은 한목소리로 말했다. 오늘의 여름은 너무너무 더웠고 우리의 표정은 잔뜩 찡그려져 있었지만, 마음에 뭉클하고 뜨뜻한 무언가가 몸을 움직이게 했다. 스마트폰도, 지도도 없이 우리는 할머니의 손에 들려있는 메모 하나로 길을 찾기 시작했다. 1팀, 2팀으로 나뉘어 길을 찾았지만, 시간이 지체될수록 좋은 마음은 예민해져 서로 짜증을 냈다. 아직도 못 찾았냐며 서로에게 책임을 돌리기 시작했다.

그때, 할머니 손에 들려있던 메모를 다시 보니 바로 앞에 찾던 건물이 떡하니 보였다. "야!! 여기 있다! 찾았어!" 서로에게 짜증 냈던 마음이 순간적으로 모두 없어진 듯이 우리는 하이 파이브를 하며 기뻐했다. 할머니는 우리가 없었더라면 절대 찾지 못했을 거라며 연신 고마운 마음을 표현하셨고, 할머니께서 사주신 500원짜리 하드 아이스크림을 쪽쪽 빨며 "우리 진짜 멋있다!"라고 아주 뿌듯해했던 그 어린 날의 순간이 있다.

어린이, 사건 둘

나에겐 소꿉친구 다섯 명이 있다. 재형, 승빈, 찬영, 민혜, 태영. 작은 교회에 나를 합해 여섯 명밖에 없었던 초등부는 우리의 목소리만으로도 충분히 시끌벅적했고 교회는 우리의 가장 좋은 놀이터였다. 한 집사님이 우리에게 신기하고 귀엽다는 듯이 말씀하셨다 "너희는 그렇게 항상 치고받고 싸우면서 계속 같이 노니?" 나는 그 말에 뭐라고 대답할 말이 없었다. 매일 같이 싸우면서도 같이 놀 수 있는 이유는 그저 그들과 내가 "친구"로 묶여있었기 때문이다. 싸우더라도 그 아이들은 나와 가장 친한 친구였다. 그 아이들과 노는 게 너무 재밌어서 아무리 기분이 나빠도 조금만 지나면 완전히 까먹고 다시 마구 뛰어다녔다. 이와 관련한 웃긴 에피소드가 있다. 어느 주일, 나는 기억도 안 나는 이유로 가장 친한 민혜에게 절교를 공표했다. 아마도 나보다 시니컬했던 민혜에게 서운했던 모양이다. 민혜는 절교하자는 말에 어이없다는 듯 웃으며 "그래, 너 근데 이래놓고 몇 초 있다가 화해하자고 할거지"라고 했다. 나는 "아니? 절대 화해하자고 안 할 거야"라며 마음에도 없는 소리를 했다. 그런데 아니나 다를까 금방 민혜와 다시 놀고 싶어서 "미안해…. 화해하자"라며 절교를 취소했다. 민혜는 "거봐, 내가 너 그런다고 했지? 괜찮아 우리 다시 친구야" 하며 나를 보고 씨익 웃었다.

나는 이런 순간들로 다름을 크게 인식하는 것보다 함께하는 것이 나에게 더 중요한 일이라는 것을 배웠다. 윤가은 감독의 영화 '우리들'에서는 주인공인 선이 가장 친했던 지아와 사이가 멀어지고 지아가 자신을 괴롭히는 아이들의 편에 서자 지아에게 복수하기로 한다. 이에 선의 남동생은 "그럼 언제 놀아?"라는 말로 선과 영화를 보고 있는 사람들의 뒤통수를 멍하게 만든다. 감독은 어린이들의 마음을 이리도 잘 표현할 수 있었을까. 그래, 우리는 나의 감정이 상하는 것보다 함께 즐거운 것이 중요했다. 마음의 비중이 함께하는 행복에 더해 있었다.

어린이들은 말랑한 마음을 가졌다. 특히 사랑에 관해서는 그들이 좋아하는 슬라임처럼 끝없이 쭉쭉 늘어나기도 하고, 움푹 파여 상처를 감춰버리기도 한다. 두려운 것들이 참 많지만, 마음에 채워진 사랑 덕분인지 순간 두려움보단 용기가 어린이의 마음 구석구석 침투한다. 무언가 해낼 수 있다고 믿게 되고, 친구가 나를 거절할까 봐 무섭지만 그래도 화해하자 말하는 용기. 그 용기는 어떤 사랑 덕분에 나올 수 있을까. 나로 말하자면 아마 혼자 있어도 혼자 있는 것 같지 않을 만큼의 사랑이 부어졌기 때문이라고 생각한다. 신앙생활이라곤 교회에 가서 친구들과 예배를 드리고 노는 것밖에 없었지만 무언가 하고 싶은 말이 생기면 하나님께 조잘조잘 말하곤 했다. 지금은 느낄 수 없는 아버지와 자녀의 관계가 충만했던 그때는 두려움이 생겨도 상관없었다. 나에겐 하나님이라는 아주아주 큰 아빠가 나와 함께하고 있었으니까. 하나님이라는 아버지는 내가 어떠한 행동을 하는 게 옳은 것인지 옆에서 차근차근 가르쳤다. "어려움에 부닥친 할머니를 돕자", "친구와 화해하자"라고. 말랑한 마음은 하나님의 사랑을 흡수하는 것에도 유리했는지 나는 지금보다 하나님을 잘 알지도 못하면서 하나님을 많이 좋아했다. 그래서 사람들을 싫어할 수 없었는지도 모르겠다. 하나님이 만드신 세상도, 사람도 어린이 최시호의 눈에 너무나도 사랑스러워 보였으니까.

지금은 사랑하기를 서슴지 않았던 그때와는 많이 다른 모습으로 사람에 대한 기대도 없고 좋아하긴 보다는 질려버린 나이지만 자주 다짐한다. 세상의 모든 모습을 사랑하고 사람을 사랑스럽게 바라보았던 어린 시절의 순수성을 잃지 말자고. 아주 지친 하루이더라도 어려움에 부닥친 사람을 지나치지 않는 것, 계절의 변화에 민감하게 반응하고 하나님이 만드신 자연의 아름다움에 경이를 느끼는 것. 견디기 힘든 사람과 관계를 맺을 때 지금의 모습을 보기보다 하나님께서 만드셨던 창조 때의 선한 하나님의 형상을 바라보는 것. 보이는 모습보다 만드신 분의 선하심을 바라보며 산다면 어린아이의 순수성을 보존하면서도 성숙한 지혜를 내뿜는 어른이 될 수 있지 않을까.

이런 생각을 하며 살다 보면 일상에서 보이는 어린이들의 모습에 감탄하곤 한다. 친구에게 자신의 것을 나눠주기 싫어서 인상을 찌푸리다가도 금방 마음이 약해져 자신의 것을 나눠주는 아이들, 투덕거리며 싸우다가도 한쪽이 "우리 싸우지 말자" 하면 금방 알겠다며 깔깔 웃으며 달리는 아이들. 엘리베이터가 고장 나서 올라오지 않을 것임을 알려주려 계단을 올라와 어른들에게 씩씩하게 전달하는 초등학생. 뒤따라오는 사람을 위해 문을 잡고 기다려주는 아이. 일상의 작은 감격을 선물해주는 아이들의 따스한 마음을 어른들이 닮을 수 있다면 조금 더 사랑이 흐르는 세상이 될 수 있지 않을까 하는 생각을 한다.

40.　나에게만 시선을 집중해야 하는 때가 있다

　울창한 나무가 있고 산책 길을 따라 오순도순 자신의 길을 걸어가는 사람들. 봄에는 벚꽃이 만개하고 여름엔 아름다운 장미가, 가을엔 코스모스가 바람에 나부끼는 곳. 겨울엔 눈꽃이 피어 눈부실 만큼 반짝이는 커다란 공원. 나는 마음이 어지러울 때마다 높은 나무와 넓게 트인 하늘에서 유영하는 구름을 보러 그곳에 갔다. 나의 현실이 메말랐을 때 공원의 축축한 흙냄새를 맡다보면 마음에 작은 샘이 희망을 속삭였다. 막막해 보이는 것들 앞에 놓였을 때 나는 자주 작은 경이를 경험했다. 그럼, 나를 둘러싸고 있는 것들이 경이 앞에 새하얗게 부서져 날아가 버리곤 했다.

　어렸을 때부터 특히 작고 여렸던 나의 마음에 흔들릴지라도 아주 무너지지는 않을 심지가 생긴 것은 처음으로 홀로 산책을 나갔을 때부터였을까. 마음의 균열을 인지하고 캄캄한 방에서 첫발을 내디딜 때부터였을까. 빛은, 나무는, 하늘은 그저 반짝이게 이쪽, 저쪽으로 솟아있었다. 이 모든 것들은 자꾸 하나님을 생각하게 했고, 나는 그 안에서 자주 울다가 맑게 웃으며 집에 돌아왔다.

능동적으로 빛 가운데로 나가는 습관은 발을 내디딜 용기가 없는 이들에게 용기를 주는 사람이 되고 싶다는 꿈을 선물했다. 나에게 잔뜩 고여있던 시선이 나 아닌 다른 누군가를 향하고, 그 누군가가 나를 통해 첫발의 용기를 가지게 되었다는 소식을 들었을 때 나는 바로 함박웃음을 지을 만큼 참을 수 없이 행복했다.

살다 보면 한순간 나에게만 시선을 집중해야만 하는 때가 온다. 그 누구도 대신 나서줄 수 없는 나만의 용기가 필요한 순간. 하지만 그 용기는 혼자만의 힘으로 되지 않았다. 두려움에 휩싸여 나는 할 수 없노라고 막막한 분노를 내뿜을 때 그렇기 때문에 나를 사랑한다고 말해주었던 사람들, 아무도 필요 없다고 나 자신을 외로이 만든 그 순간에도 영원한 사랑의 샘을 보여주셨던 하나님. 그리고 나와 같이 첫발을 내딛기 위해 고독의 시간을 보냈던 작가들의 문장으로 나는 조금씩 나의 마음의 깊은 곳까지 낱낱이 살펴볼 수 있었다.

세상에는 고난을 이겨낸, 성공한 사람들의 이야기가 분별력 없이 퍼져있다. 그리고 우리는 그 성공담을 따라하면 나에게도 승리가 있는 것이라고 생각한다. 그러나 고난을 이겨낸 그 사람 또한 자신만의 동굴에서 보낸 시간에서 가장 적합한 생각들과 다시 일어설 방법들을 찾아냈을 것이다. 누군가의 조언을 따라가기보다 오롯이 나에게 시선을 집중하여 나의 마음이 가장 편안한 곳을 찾아내고, 내가 선호하는 것들을 발견하여 결국, 삶의 지향을 바라볼 수 있어야 한다. 그래서 차곡차곡 쌓은 "나"라는 사람이 명확히 보일 때 이제는 나 아닌 누군가에게 시선을 둘 수 있게 되는 것이다.

하나님은 우리 모두에게 각자의 고유한 방법으로 사려깊게 일하신다. 그 하나님의 마음을 알아가는. 하나님께서 나라는 사람을 어떻게 만드셨는지 알아가는 시간이 될 것이다. 누구 하나 얼굴도, 성격도 같지 않은 특이한 세상에서 나는 어떤 생각을 하며 살아가야 할까.

나는 아직도 작은 어려움에 재차 흔들린다. 그러나 남은 인생에서 계속해서 나라는 존재를 알아간다면 흔들릴지라도 아주 무너지지는 않을 것이라는 확고한 신뢰를 가질 수 있을 것이다. 그리고 더는 조급하지 않고 여유롭게 삶을 바라볼 수 있을 것이라고 믿는다.

41. 듣고 싶은 말을 부탁한다는 것은

　어렸을 적 저는 듣고 싶은 말이 분명한데 직접적으로 표현하지 않고 에둘러 표현하는 사람들을 싫어했습니다. 솔직하게 물어보면 원하는 답을 얻을 수 있을 텐데, 그게 왜 안 될까? 인정과 칭찬을 바라는 가족과 친구에게 절대 만족할 만한 대답을 해주지 않으려 애쓰곤 했습니다. "원하는 대답을 해주면 교만해질거야"라는 생각을 품고서요. 그래서 어떤 대상이든 자신의 의도를 숨기고 원하는 대답을 가지고 있는 사람에게는 대답을 피하거나 무시했습니다. 그러다 보니 저는 작은마음을 가진 사람이 되어 있었어요. 신기하죠, 좋은 말을 아끼면 아낄수록, 원하는 말을 해줄지 말지 마음속으로 재는 순간이 많아질수록 마음은 점점 작아집니다.

　하나님을 생각합니다. 몇 번이고 나를 사랑하시냐 물어도 사랑한다 영원히 말씀하시는 분. 내심 바라던 것들을 찰떡같이 알아채시고 가장 좋은 길로 인도하시는 분. 사랑을 주기를 기뻐하시고 지치지도 않으시는 분을 생각합니다. 하나님과 가까울수록 계속해서 질문하고, 원하는 것을 이야기하는 사이가 됩니다.

저에게 닿았던 질문들은 친밀함의 표현이었을지도, 사랑하는 사람에게 꼭 듣고 싶었던 말을 듣고자 하는 사랑스러운 마음일지도 모릅니다. 그래서 앞으로는 마음을 더 크게 쓰기로 결심했습니다. 저 사람의 버릇을 고쳐주겠다는 알량한 교만함보다, 그냥 원하는 대답을 들려주는 큰마음의 소유자가 되자고요.

요즘은 듣고 싶은 말을 부탁하곤 합니다. "나 예쁘지?", "나 사랑하지?", "나 이거 잘했지" 제가 가족들과 연인에게 가장 많이 물어보는 말입니다. 예쁘다고, 사랑한다고, 잘했다는 말을 들으면 마음이 사랑으로 담뿍 채워집니다. 밖에서는 절대하지 못할, 조금 친밀해서는 물어보기 힘든 말이에요. 독자 여러분은 깊은 관계를 쌓고 있다고 생각하는 사람들에게 어떤말을 가장 듣고 싶나요? 에둘러 표현하기보다 직접적으로 부탁해 보세요. 독자님을 사랑하는 사람이라면 생각보다 쉽게 사랑을 대답해 줄지도 모릅니다.

그리고 직접이든, 에둘러 물어보든 원하는 대답을 해줄 수 있는 큰마음을 구해봅시다.

42. 엮일만한 부족함

다 컸다고 생각했던 때, 이제는 어른이 되어야겠다고 다짐하며 살았
다. 고등학교 시절 궁금한 게 많고 위로받길 원했던 나에게 좋은 어른이
되어주셨던 선생님을 만나 대화를 했던 날이 있었다. 나는 그날에도 선
생님 앞에서 어른스러운 눈동자로 깜빡이고 있었다. 선생님은 다 안다는
듯이 나에게 말했다. "시호야, 조금은 무게 없이 살아도 돼. 그래도 괜찮
아." 그 말에 나는 눈물이 날 것 같아서 잠시 시선을 옮겼다. 걱정어린 눈
을 마주치면 당장이라도 울어버릴 것 같아서. 그냥 다 숨기고 싶었다. 다
자라지 않았으나 자란 척하는 마음을, 그리고 덜 큰 내가 싫은 마음까지.

"정말 그래도 되나요?"

왜 무게 있으려 하는가, 나는 완벽해지고 싶었다. 실수하지 않는 것은

물론, 마음이 넓어서 누군가를 잘 이해하고 품어줄 수 있는 사람이 되고 싶었다. 그런데 그럴수록 내가 생각하는 나의 이상적인 모습과 진짜 내 모습의 괴리가 느껴지는 것이었다. 나는 진짜 내 모습이 참 싫었다. 이상적인 모습만 보여주는 나에게는 나를 멋지다고 말해주는 사람들은 있어도 곁에 붙어 같이 걷는 사람이 없었다.

흠을 보여주면 결국에는 나를 떠날 것 같았나, 실망시키는 게 두렵다. 한 사람에 대한 마음이 생기면, 순간 깊고 짙어져서. 나를 다 보여주면 언젠가는 내가 많이 다치지 않을까 노심초사하면서 좋은 모습만 보여줬던 것이다. 누가 매달아주지도 않았는데, 무거운 추를 스스로 낑낑대며 옮겨 발목에 잠그는 꼴이다. 그 추 때문에 누구에게도 쉽게 가지 못했고, 긴 시간이 걸려 그 사람이 있는 곳에 도착하면 그 자리에 그는 없었다.

진실로 깊은 마음은 무엇인가, 자유로운 두 발로 떠다닐 수 있는 마음이다. 내가 자유롭게 날아다닐 때 누군가에게 쉽게 착지하고, 손을 잡고 다시 날아갈 수 있는 마음. 어느 순간 날개가 다치면 보듬어주고, 보살핌받는 삶.

가끔은 나의 부족함이, 못남이 누군가에게 위로가 되고, 서로를 엮어준다. 나는 우리가 엮일만한 부족함이 있음을 자유롭게 드러내고 싶다. 누군가는 나를 미워할지도 모르지만, 또 누군가는 나와는 다른 자신의 연약함을 드러내며 다가올지도 모르니까. 우리의 연약이 서로를 의지할 자격이 되어줄 것이다.

연약이 자격이 된다고 말씀하셨던 예수님을 생각한다. 당신에게 나아갈 자격 없다 말하는 나에게 이미 아름답다고, 내가 너에게 가겠다고 말씀하시는 예수님. 내가 연약을 드러낼 수 있는 것은, 어떤 모습을 보여도 영원히 사랑하겠다 하신 약속을 믿기 때문이다. 나에게는 이미 영원히 풀어질 수 없이 엮인 분이 있다. 연약함이, 내 부족이 자격이 되어. 그러니 이제는 강해지고 싶은 어린아이의 마음보다 진실하게, 자유롭게 못난 모습을 드러내며 살고 싶다. 영원히 실패하지 않을 관계가 있으니, 다른 곳에서 실패하더라도 나는 엮여있는 그분께 사랑을 받으며 다시 날아가고, 또 착지할 수 있을 것이다.

43.   12월

눈을 감았다 뜨면 속눈썹에 맺힌 이슬이 차갑다.

갑자기 내리는 눈은 선물같다.

눈이 그치면 하얀 공기가 주위를 맴돈다.

카페에 들어가 시킨 따뜻한 코코아 한 잔,

손을 녹인다. 슬쩍 들리는 캐롤소리.

한 해도 가는구나

나는 무엇을 했나 잠시 뒤돌아보다가도

그것이 뭐가 중요하겠나 싶어

잘 견뎌낸 것으로 충분하다 다독인다.

존재하니 다행이지, 내 마음 잃지 않아 다행이야.

44. 미움 따위

오래오래 미워했던 관계가 있었다. 나는 그 관계를 "고맙고, 사랑하지만 견딜 수 없는 관계"라고 정의했다. 붙어있고 싶은데 붙어있으면 괜히 상처가 커졌다. 깊숙이 자리한 서로의 어긋남이 이 관계를 견딜 수 없게 만들었던 것이다. 언제 터질지 모르는 시한폭탄과 같다고 생각했다. 폭탄이 터지고 난 후에 생기는 끔찍한 감정이 괴로웠다. 우리는 실컷 미워하다가 용서하고 또 실컷 미워하다가 용서했다. 그래서 몇 달 전 가장 최근의 미움의 사건에서 결정하고야 말았다. 이제는 거리를 둬야겠다고. 용서하지 않고 계속 미워하면 나만 힘들고 끝날 거라고 생각했다. 반복되는 괴로운 싸움을 그만하고 싶었다.

하지만 미움이 오래됐던 만큼 그녀에 대한 사랑도 오래됐다는 것을 간과했다. 불쑥불쑥 찾아오는 그녀의 부재. 무슨 일이 있으면 서로에게 달려가 미주알고주알 말했던 시간이 그리웠다. 다른 사람에게는 말할 수 없는 비밀도 그녀에게만은 말할 수 있었는데. 그리고 자꾸만 하나님이 생각났다. 하나님은 참 괴로우셨겠다. 나는 매일 하나님의 마음을 아프게 하는구나. 그런데도 계속 참으시는구나. 자기 아들을 대신 죽이면서까지, 당신이 고통을 당하는 게 낫다고 판단해서 나를 지켰다. 사랑하고 싶어서 그렇게 하셨다.

나도 다시 사랑하고 싶었다. 그러니까 누가 무엇을 잘못하든 하지 않았든 그냥 덮어주고 싶었다. 모든 이유는 사랑이면 충분하다. 사랑하고 싶기 때문에, 사랑하기 때문에 그 문제가 아무것도 아닌 것처럼 여겨진다. "사랑은 허다한 죄를 덮느니라" 그 말을 이제는 조금은 알 것 같다.

45. 사람의 마음

좋아하던 언니가 있다. 이런 사람이라면 마음 놓고 기댈 수 있겠다고 생각하기도 했다. 하지만 사람에게 마음 놓고 기댄다는 것은 애초에 불가능한 일이었나보다. 그 언니는 나에게 잠시 머물다가 금방 자신을 사랑해주는 사람에게, 자신이 사랑하는 사람에게 가버렸다. 누구보다 나의 마음을 잘 안다고 생각했던 사람이었는데, 마음을 잃어버린 것만 같았다. 의지할 수 있는 기둥 하나가 잠든 사이에 도망가버린 것 같았다. 다른 사람은 쉽게 떠나도, 나와 비슷한 언니만은 떠나지 않을 거라고 생각했는데 이미 저만치 달아나버린 마음에 원망이 서린다.

사람의 마음이란 뭘까. 잠시 왔다가도 금방 지나가 버리는 가벼움일까. 잠시 왔다 금방 가버린 마음을 걱정한다. 내가 알아주지 못한 것들 때문에 당신이 지쳐서 떠난 것일까 봐. 말 한마디에 귀 기울이고, 당신의 마음을 헤아리기 위해 부단히 노력했지만, 당신이 알아주길 바랐던 귀한 마음을 지나쳤던 순간이 쌓였던 것은 아닐까. 많이 예민해서 상대방의 마음을 예민하게 속속히 들여다보아 위로했던 당신은 누군가가 당신의 마음을 그렇게 들여다봐 주길 바랐던 것은 아닐까. 사람은 받고 싶은 것을 그대로 행한다고 하는 말이 있다. 내가 이렇게 마음을 주었으니, 너도 이 정도는 나에게 줄 거라는 기대를 쌓아간다. 그러다 실망하는 순간 부풀었던 기대만큼 공기가 빠져버린 풍선처럼 쪼그라들고 만다.

그래서 나는 솔직한 사람이 좋았던 것 같다. 마음이 상하면, 서운하면 그대로 표현할 줄 아는 사람. 내가 짐작하지 않아도 순진하게 마음을 드러내어 가까이 오는 사람. 가까운 관계는 거저 되는 것이 아니다. 생글하게 웃으며 포옹하는 사이보다, 등졌다가도 손을 내밀 줄 알고, 머리를 맞대고 싸우다가도 울며 미안하다고 말하는 사이. 그러다 보면 이 사람은 내가 미운 모습을 보여도 사랑해줄 것이라는, 나를 떠나지 않을 것이라는 신뢰가 생긴다. 범접할 수 없는 끈끈함이 생긴다.

사실 나도 그 언니와 별반 다르지 않은 마음을 고백한다. 언니에게 이만큼이나 진심이었는데, 그 진심을 알아주지 않는 언니가 미웠다. 다른 사람들과 다르게 대하는 모습에 질투가 났다. 준 것에 기뻐하고 감사하고 싶은데 받지 않았다고 이리도 아플까. 화답하는 관계가 악하지 않다는 얘기를 들은 적이 있다. 그 관계는 받지 않았다고 아픈 관계도 아니고, 준 것에 미련을 두는 관계도 아니다. 사랑을 충만히 부어주는 관계. 충만한 사랑에 화답하는 관계. 그런 사랑을 하려면 나는 지금 여기서 무

엇을 해야 할까. 받지 않은 것보다 준 기쁨이 워낙 커서 깊이 슬퍼하지
않을 마음이 준비되어야 할 것이다. 그리고 당신에게 솔직한 마음을 고
백할 수 있는 용기 또한 가져야 할 것이다.

46. 사랑은 귀해서 쉽게 들통난다.

나를 경계하는 사람이 있다. 무슨 사연이 있는지는 모르지만, 내 일거수일투족에 눈을 두고 있다는 느낌을 지울 수 없다. 그리고 탐탁지 않게 생각한다는 눈빛과 표정으로 나를 대한다. 조금 더 어렸을 때는 저 사람이 나를 싫어하나? 하며 풀이 죽었을 텐데 지금은 뭐지? 하며 나를 그렇게 대하는 이유를 알고 싶다. 사람은 마음에 흉이 있어서 사람을 경계한다는 사실을 잘 알고 있기 때문이다. 나도 한때는 마음에 큰 흉이 있어서 다가오는 사람을 경계하고, 판단하며 미워하기도 했으니까.

나는 사람을 볼 때 "사람은 사랑스러운 존재"라는 것을 전제로 한다. 누군가는 어떻게 사람이 사랑스러운 존재 냐며, 더럽고 추악한 존재로 봐야 한다고 주장할지도 모른다. 맞는 말이다. 인간은 추악하다. 하지만 사랑스럽다. 나는 그래서 인간에게 애틋함을 느낀다. 자신의 악함과 양심 사이에서 발버둥 치고 있는 것이 보인다.

사람에게는 하나님의 모습이 보이기 마련이다. 하나님의 형상을 닮아서 사랑스러운 면모가 있는 반면에 본성적인 타락이 그를 지배한다. 이 사실을 알기 때문에 조그만 잘못에는 그저 안타깝고 애틋하게 보이는 것이다. 하지만 나도 큰 잘못에는 어떻게 대응해야 할지 아직도 모르겠다.

사람을 사랑스럽게 보는 눈은 쉽게 들통난다. 그 눈은 인간에게서 온 것이 아니라 하나님의 사랑으로부터 오기 때문이다. 하나님의 사랑을 닮은 따스한 눈빛은 딱딱하게 굳은 마음을 녹이기에 충분하다.

그래서 나는 나를 탐탁지 않게 생각하는 그 사람도 사랑하기를 결심한다. 하나님께서 모든 것을 내어주실 정도로 귀한 자녀인 그 사람, 하나님 안에서 나의 이미 나의 가족인 그 사람. 하나님께는 나, 그 사람이나 세상 무엇과도 바꿀 수 없는 사랑스러운 존재일 것이다. 그러니 포기하지 않고 하나님의 마음을 느껴서 전하고 싶다. 괜찮다고, 사랑해도 된다고.

47. 천진난만함

한 그림을 보았다. 두 남성이 옷을 한껏 차려입고 바닷가에 앉아 있는 모습. 바닷물이 들어오는데도 천진하게 서로를 보고 웃고만 있다. 해방감이 들었다. 마음이 절로 상쾌해지는 느낌.

타인의 시선을 신경 쓰지 않을 만큼 상대방이 자신을 수용한다는 느낌을 받기에 가능한 마음일까. 나를 알지 못하는 사람들이 무어라 말하든 내 앞에 있는 사람의 눈빛이 가장 중요한 것이다.

내가 천진난만함을 그대로 드러낼 수 있는 존재들이 있어 다행이라는 생각을 한다. 밖에서 나를 지키기 위해 갖추고 있을 수밖에 없는 가면을 벗어 던지고 맑게 웃으며 뛰놀 수 있어야 한다. 안전하다고 생각하는 곳에서 마음을 놓는 시간은 용기를 준다.

나는 누구에게나 마음을 놓을 수 있는 사람이 되었으면 좋겠다. 나도 누구에게나 마음 놓고 뛰놀고 싶지만, 오해와 오류가 가득한 세상에서 참 어려우니. 누군가 마음껏 뛰어놀 수 있을 만한 커다란 품이 되어주고 싶다. 모든 것에 진심을 다하고자 하고, 마음을 내어주는 내가 어떨 땐 안쓰러워 보이기도 하지만, 가끔은 화가 치밀기도 하지만, 이게 나니까. 그리고 변하고 싶지 않으니, 오늘도 골똘히 생각한다.

그리고 다시 되새긴다. 주면서 그대로 받기를 기대하지 말자고. 마음을 다했으나 떠나는 이에게 나는 큰 죄책감을 느끼지 않아도 된다고. 그리고 떠나는 그 사람도 선한 계획의 일부라고.

요즘은 놀고 싶다. 떠날까 불안해하지 않아도 될 사람들과 크게 웃으면서, 달리면서, 춤추면서 천진난만하게.

48. 닮고싶은 마음

십 대는 왜 그럴까. 친구가 왜 이렇게 좋을까. 친구의 한 마디에도 왜 이리 상처를 받을까.

자라고 나니, 아이러니하다. 조금만 더 쿨하게 지낼걸. 친구가 뭐라고 하든 굳이 참지 말고 하고 싶은 이야기를 할걸. 친구와 싸워서 온 세상이 무너지는 것만 같았던 시간도 다 지나갔다. 그러니 이런 말을 할 수 있는 것이다. 그래도 나는 그때의 내 마음이 귀하다. 나는 어렸을 때부터 사람을 좋아하고, 관계가 소중하다고 생각했구나.

요즘 자주 듣는 백예린의 노래 'Bye bye my blue'는 내 십 대를 생각나게 한다. 내가 누군지 잘 몰라서, 동경하는 친구의 모습을 닮고 싶었던 나. 말투도, 얼굴도 그 친구를 닮아가길 원하면서도 그 아이를 질투했다.

동경이라는 마음은 질투로 바뀌기 쉽다는 사실을 몰랐다. 그런 관계는 처음에는 가깝다가도 나도 모르는 새에 멀어져 있었다.

　나는 십 대를 보면 마음이 아리다. 저 예민한 감수성을 가지고 있는 아이들이 어떻게 하루를 잘 버티고 있는 걸까. 나는 하루가 참 길었다. 어른들은 어른이 되면 하루의 시간이 짧게 느껴진다고, 나중에는 일 년이, 세월이 어떻게 지난 지도 모르게 시간이 빠르게 느껴진다고 했다. 이렇게 기도했었지. "하나님, 오늘이 빨리 지나가게 해주세요. 빨리 졸업하게 해주세요." 서로를 질투하며 괴롭혔던 왜곡된 사랑이 가득한 교실에서 살아남은 내가 대견하다. 닿고 싶은 마음을 올바로 지정하여 사랑하는 친구를 만들어 끝내 웃었던 내가 대견하다. 그래도 잘 컸구나.

49. 진심, 사랑

이상은, 롤러코스터, 페퍼톤스, 이진아. 내가 좋아하는 아티스트들이다. 이들은 밝음 속에 어둠, 어둠 속의 밝음을 전한다. 이들의 음악을 들으면 비로소 봄이라는 것을 깨닫게 된다. 움트기 위해 찬 바람을 잘 견디었다고 다독인다.

친구에게 이렇게 말하고 싶어진다. "다 괜찮아질 거야" 어렸을 때는 이 말이 참 무책임하다 느꼈다. 뭐가 다 괜찮아진다는 거지? 나는 아직도 헤어나오지 못하고 있는데. 마음의 문제였을까. 나와 함께 울며 다 괜찮아질 거라고 위로했다면 내 마음은 조금 더 빨리 나을 수 있었을까.

내가 저들의 가사와 멜로디에 위로받을 수 있었던 이유는 그들의 견뎌온 시간이 보이기 때문이다. 딛고 일어선 사람이 할 수 있는 말, 당신과 함께 고통을 감내하겠다는 큰마음. 이러니저러니 해도 나는 너의 친구이니 용기를 잃지 말라고 이야기해 주는 듯하다.

항상 그런 사람이 되자고 다짐한다. 내가 다치면서, 내가 아프면서까지 누군가의 소중한 사람이 되어주겠다고. 나는 그리스도를 알고 난 뒤, 고통이 두렵지 않다. 다치며 안아주는 사랑이 얼마나 고귀한지 안다. 어쩌면 긴, 순간의 고통을 견디면 나는 예수님을 조금 더 닮아 있다.

마음을 다해 아픔을 함께 견뎌 주지 못했던 많은 친구들이 생각난다. 내가 그때 함께 울어줬다면, 내가 그때 함께 아파했다면 조금 덜 멀리 갔을까 후회한다.

붙잡지 못할 사랑은 없다. 결말은 아직 정해지지 않았다. 나는 아직도 사람의 관계에 정의 내리지 못하고, 흘러간 시간을 어떻게 채워야 할지 혼란스럽다. 하지만 그리스도인은 진실로 사랑하기를 포기하지 않는 삶을 살아야 하지 않을까 추측한다. 내가 무엇이라고 포기하나, 내가 영원히 포기 당하지 않는데.

용기 없는 나는 사랑하지 못했던 사람들의 이름을 부르며 기도한다. 직접 움직이고 싶지만 아직은 봄이니까 무르익을 때까지 조금만 여유를 갖자.

50. 여유로운 글, 쉽고 정다운 글

무게 있는 글도 좋지만 쉽고 누구나 읽어도 마음이 평안한 글을 쓰고 싶다는 생각을 한다. 살가운 문장 안에 녹아든 진심을 알아주었으면 싶다. 아마도 이 생각은 바뀔지도 모르겠다. 하지만 우선 지금은, 화려한 무엇이 없어도 누구나 고개를 끄덕일 수 있는 마음이 담기기를 바란다. 나를 살게 한 문장은 그런 것들이었으니까. 좀처럼 움직이지 않던 마음을 깨고 들어온 단어는 흔하디흔한 사랑이었다. 커다랗고 장엄한 사랑보다 일상에서 마주치는 진득하고 조그마해서 잘 달라붙는 사랑.

종이 위에 내뱉는 진심과 같은 문장이 얼마나 귀한지 지금, 이 순간에도 울컥울컥한다. 아마 이 글은 내 첫 책의 마지막 페이지가 될 것이다.

숨 쉬듯이 쓴 일기 같은 글이

누군가에게 숨을 불어넣어 주기를

추천사

강물이나 구름처럼 흘러만 가는 것들을 포착할 수 있는 그물이 있다면, 그것은 언어일 것이다. 오직 언어만이 끊김 없는 시간 속에서 찰나를 건진다. 무미건조함의 덩어리인 세상일에서 빛나는 순간을 포착할 수 있는 것도 역시 언어이다.

최시호의 글은 이 지루하기 짝이 없고 무채색 덩어리인 시간 속에서 반짝반짝 빛나는 순간을 포착한다. 그 시선은 너무 여리고 가냘퍼서 안쓰럽기까지 하다. 피아니시모로 고음을 내는 바이올린의 선율 같기도 하고 이제 막 하품을 하며 잠자리에서 일어나는 아가의 작은 발 같기도 하다. 하지만 그 시선은 아주 정확하게 생의 빛과 그늘, 강함과 약함을 직시한다. 그래서 그 시선은 작지만 힘이 세다. 그 시선에는 사랑이 있기 때문이다.

작가의 말대로 '애정을 가지고 지켜보는 일을 사랑한다. 사람과의 온정을 나누는 작은 대화, 마음을 담은 일기장과 볼펜, 나를 닮은 방을 사랑하는' 따뜻함이 있다(15. 달팽이).

작가의 말대로 '일상에서 마주치는 진득하고 조그마해서 잘 달라붙는 사랑(50. 여유로운 글, 쉽고 정다운 글)' 그런 사랑이 이 작은 책에서 쉴 새 없이 찰랑댄다. 부디 그 사랑의 힘이 이 이제 막 일어나려는 여린 영혼들의 손을 꼭 잡아주길 바란다. 이 작은 책이 제 갈 길을 찾기 위해 온 힘을 쓰고 있는 어린 달팽이들에게 작은 희망이 되어주길 기도한다. 느릿느릿, 따뜻하게 말이다.

이성희 (총신대학교 호크마교양교육원 교수)